L'ŒIL DE VERRE

SYLVIE MASSICOTTE

L'œil de verre

nouvelles

L'instant même

Maquette de la couverture : Anne-Marie Guérineau

Illustration de la couverture : Sans titre,
acrylique sur toile, 1992, de Véronique Vézina

Photocomposition : Imprimerie d'édition Marquis

Distribution pour le Québec : Diffusion Dimedia
539, boulevard Lebeau
Saint-Laurent (Québec)
H4N 1S2

Tous droits de traduction, de reproduction et d'adaptation réservés

© *Les éditions de L'instant même*
C.P. 8, succursale Haute-Ville
Québec (Québec)
G1R 4M8

Dépôt légal — 4ᵉ trimestre 1993

Données de catalogage avant publication (Canada) :

Sylvie Massicotte, 1959-

L'œil de verre : nouvelles

ISBN 2-921197-31-6

I. Titre.

PS8576.A7965O34 1993   C843'.54   C93-097225-2
PS9576.A7965O34 1993
PQ3919.2.M37O34 1993

La publication de ce livre a bénéficié de l'aide financière du Conseil des Arts du Canada et du ministère de la Culture du Québec.

À la mémoire de
Denis Bélanger

Il a mon âge, une carabine à plombs sur l'épaule, et il marche en fixant le trottoir. Quand les gars sont tout seuls, on dirait qu'ils n'osent pas regarder les filles. Sans lever les yeux, il me dit :

« Je l'ai pas fait exprès, dans l'cimetière, moi j'visais l'monument, Claude était caché en arrière. On jouait. Le plomb a rebondi... »

Il tourne vers moi son visage blême. Ses lèvres tremblent :

« J'pense qu'il a perdu un œil. »

Il repart, la tête penchée. La rue me paraît immense. Tandis que je vacille sur ma bicyclette trop haute, ma vue se brouille.

Amaurose

Le futon

Deux adolescents gesticulent, exagèrent, se décrivent des plats débordants de pommes de terre. Il y en a un, grassouillet et boutonneux, qui en remet. L'autobus freine brusquement. Toi, tu me regardes. Tu dis que je ne t'écoute pas. C'est vrai. Tu n'as pas à te mettre en colère puisque je te donne raison : je ne t'écoutais pas. Ce n'est pas que j'aie faim, que leurs histoires de pommes de terre me fassent envie, non.

C'est vrai, je ne t'écoute plus. Tu viens seulement de le remarquer, mais il me semble qu'il y a bien longtemps que j'ai pris plaisir à écouter tes histoires racontées avec ta voix monocorde qui m'aidait à m'endormir, dans ton appartement ou dans le mien, tandis que tu fumais ta dernière cigarette. Déjà, le goût du tabac me répugnait quand ta langue venait s'étirer entre mes lèvres mais je ne voulais pas me l'avouer, c'était le printemps et j'avais décidé d'être en amour. Toi aussi. Ça tombait bien. Tomber en amour, c'est autre chose.

Ne me demande pas de t'expliquer. Ce que tu as ou n'as pas. J'ai déjà fait la liste et tu ne me croyais pas. Ou tu finissais par dire que moi non plus je n'avais pas tout ce qu'il fallait mais que tu m'aimais, quand même, et je n'avais qu'à t'aimer aussi puisque la perfection dont je rêvais n'existait pas ailleurs qu'au cinéma, dans les vidéoclips ou les romans.

Les adolescents se chamaillent sur leur siège. Le petit rit des cuisses du gros. Il prend une pincée à travers le jean serré. Cesse de me parler puisque tu sais que je ne t'écoute pas. Tu me souris, me fais signe de regarder à la fenêtre. Je n'aime pas ton sourire de victime. *Pitou* galeux qui donne la patte. Tu t'agites. Tu dis qu'il est trop tard, j'ai manqué ce que tu voulais me montrer sur le trottoir. Tu te désoles. Je n'ai pas toujours envie de regarder où tu regardes, de manger ce que tu manges et de dormir où tu dors.

La station de métro, c'est ici qu'on descend. J'écarte les coudes dans le passage engorgé de l'autobus et réussis à m'en échapper. Sur le pavé, je me demande pourquoi je continue à t'accompagner. Sans doute parce que c'est toi qui me suis.

Je marche derrière les deux adolescents qui font résonner leurs rires en entrant dans la station. Mon pubis heurte le tourniquet bloqué et, très vite, comme si tu cherchais à réparer une faute, tu me tends le billet rejeté par l'horrible machine. Je prends le tien. L'appareil l'avale aussitôt et je traverse à la suite des deux jouvenceaux en folie qui sautent sur la rampe d'escalier. Tu restes là, figé, puis tu cours au guichet pour quémander un droit de passage en brandissant le ridicule petit billet démagnétisé.

Tu me rejoins, essoufflé, au pied de l'escalier. Non, je ne pouvais pas t'attendre. Et le métro qui arrive ne t'attendra pas non plus. Tu ferais mieux de te dépêcher. Les deux gamins font des grimaces au musicien aveugle. Ils courent rejoindre ce wagon où l'on se faufile parmi des passagers aux visages macabres. Le gros a pété et le petit s'assoit en hurlant de rire. Quand tu pètes, moi, ça ne me fait jamais rire et tu lâches tes vents dans le lit trop mou, sans ouvrir l'œil. Tu empestes.

Je ne supporte plus de te voir dans ta chemise synthétique beige à rayures brunes. Tu mets toujours la même chose. Quand tu venais dormir à la maison, au début, je supposais que tu avais des vêtements de rechange dans ta garde-robe. Depuis qu'on a emménagé, tu n'arrives pas à occuper le tiroir que je t'ai concédé. Tu dis que c'est une question d'argent. Mais tu n'as pas plus d'imagination que d'argent. Tu te crois artiste parce que tu grattes un peu ta guitare avec tes ongles noirs. Tu me joues toujours la même chose, je te dis de changer de disque et tu réponds que ce n'est pas un disque, c'est ça la merveille, que ce n'est jamais pareil...

Voilà que tu traînes ta main dans mes cheveux et, en écartant une mèche, tu pousses ta mauvaise haleine contre mon oreille. Avec une respiration d'affamé, tu lèches les petites routes sinueuses qui conduisent au cérumen. Tu viens bourdonner, clapoter dans ma tête. Arrête ! Tu sais que je n'aime pas ça dans le métro.

« Touche pas à ça ! » crie la maman à sa fillette barbouillée, à genoux sur le siège d'en face. Le gros et le petit regardent la scène. La maman va se fâcher. Toi, tu rêves d'un enfant de moi. Tu voudrais regarder enfler mon ventre en t'émerveillant. Tu changerais peut-être de chanson, à la guitare... Tu te prendrais pour un papa. Tu finirais par me laisser tranquille. Ne sois pas triste, je n'ai jamais dit non.

« J'ai dit NON ! Tu comprends ça, NON ? » lance la maman en colère. Ça y est, sa main a claqué sur les petites jambes qui rougissent instantanément, comme le visage chiffonné soudain recouvert de larmes. L'enfant vocalise. « Ma-man, comprends, pas taper ! » Les deux garçons se sont tus. Toi, tu penses qu'un peu de malheur dans le wagon peut nous rapprocher. Ne prends pas cet air affaibli, ce n'est pas toi qu'elle a frappé.

Le gros donne un coup de coude au petit. Ils pouffent de rire : la fillette a fini de sangloter, elle morve et t'examine en serrant son toutou. Tu t'es fait une complice. Sa mère sollicite mon regard mais ne l'aura pas. Toi non plus. Mon regard m'appartient même si tu me l'as déjà arraché, un soir, dans un bar. J'aimais tes cheveux bouclés qui suivaient le mouvement de ton grand corps lâche. J'avais envie de toucher, glisser mes doigts des cheveux jusqu'au bas de ton dos, découvrir tes fesses que je n'arrivais pas à deviner dans ton pantalon trop grand. Il fallait que je t'emmène chez moi.

Cela n'a pas été compliqué, tu n'as jamais su dire non. Quand on a fait l'amour, c'est surtout là que tu as pris mon regard. Après, tu avais parlé le premier, tu m'as dit que c'était l'unique fois où tu avais pénétré une femme en la regardant droit dans les yeux. Tu étais fasciné. La fenêtre était ouverte et sur nos corps courait une brise qui sentait la neige lorsqu'elle fond dans la bouche.

Le lendemain, tu es revenu avec ta guitare et tu as chanté « C'est u-ne pou-pé-é-ée qui fait non-non-non... ». J'avais été très déçue mais, le dos tourné, je continuais à préparer le repas d'amoureux que je n'avais pas l'intention d'annuler. Je t'ai demandé d'en jouer une autre, mais tu as préféré venir couper des légumes.

La maman ouvre un magazine pendant que sa petite mâchouille une carotte crue à côté d'elle. Le métro s'arrête, les portières s'ouvrent et l'enfant ne mordille plus que sa lèvre inférieure. Un infirme au teint blanc entre dans le wagon. Les adolescents ne l'ont pas vu, occupés à graver le mot *fuck* au bord de la fenêtre.

16

La mère empoigne le bras de sa gamine impressionnée. L'homme a la bouche grande ouverte, il hoche la tête dans tous les sens et ses yeux tournent comme des planètes folles. Ses longs bras battent l'air jusque sous le nez du gros, enfin surpris, qui recule le torse. L'autre, le petit, range son canif. Tu me broies les os de la main, tu me fais mal.

Je me secoue les doigts. Tu es désolé. Je ne sais plus ce que je dois faire. Le temps passe et tu es toujours là, comme une ombre, de plus en plus présent. C'est qu'il y a de plus en plus d'ombre et de moins en moins de soleil... Je ne sais plus comment faire. Un tissu taché que l'on regarde sans bouger. Une vie, ça ne se lave pas comme ça.

Tu me demandes à quoi je pense. Je n'écoute pas, préfère rester figée. Tu recules la tête, l'appuie contre ton bras replié au bord de la fenêtre et tu m'observes en riant faux. Tu regardes les adolescents puis tu reviens à moi, en te donnant l'air de tout comprendre. Tu viens emmêler mes cheveux, d'un geste taquin. Qu'est-ce que tu me veux ? Il n'y a rien de drôle. Tu dis que je me trouve dans une de mes journées tragiques, que je me suis vraiment levée du mauvais pied, tu essaies de te moquer de moi, maladroitement. Je ne t'écoute pas.

Brusquement, le métro s'immobilise dans le noir. La main de King Kong se resserre sur nous. Je me dis que je n'aurais pas envie de mourir ici, bêtement, que ma vie s'éteigne aussi banalement que celle des autres, mourir en entendant tes dernières paroles pathétiques, ton dernier souffle puant au-dessus de mon visage.

On redémarre, tu as l'air tranquille. Les tics de l'infirme paraissent plus fréquents. Il se lève, titube, comme le métro ralentit devant la station, et j'ai l'impression qu'il vient me rejoindre, m'arracher un morceau de chair avec le crochet qui remplace sa main. Il réussit à se pousser dehors, juste avant que les portes ne se referment. Le visage convulsé et les mains tordues, le maigrichon cherche à l'imiter, mais le gros lui met son poing dans le ventre en disant : « Arrête, espèce de débile ! » Tu poses une main flasque sur mon genou. Je fixe le sol, le graffiti d'un cœur brisé.

« Ça se répare », explique la maman à sa petite fille désemparée qui reprend son ourson au bras décousu. Tu trouves ça mignon. Tu ne sembles pas attendre de réaction de moi, tu as raison. Tu me préviens qu'il faut descendre à la prochaine station. Tu te demandes s'il faut répéter étant donné que je ne t'écoute pas. Je te dis que j'ai compris. Tu es content. Le gros se lève le premier, c'est formidable que son jean tienne le coup. Je ne sais pas pourquoi les gros portent des pantalons à taille si basse qu'on finit toujours par apercevoir la raie de leurs fesses molles.

Mes pas et les tiens sur le quai. Ceux des deux adolescents résonnent au loin. Les blasphèmes lancés par leurs voix muées reviennent en écho et j'ai envie de crier, moi aussi. Nous atteignons les portes où les courants d'air se disputent, font sautiller les petits ressorts de tes cheveux bouclés, soulèvent ma jupe d'une façon qui t'excite. Dehors, j'aperçois le pavé mouillé et tu me dis qu'il pleut.

C'est vrai. Le gros garçon porte sur sa tête une veste en jean qui étouffe le cri d'adieu destiné au maigrichon : « Mange de la marde, Giroux ! » L'autre s'éloigne en riant. Je voudrais que tu ries, toi aussi, que tu prennes bien la chose :

« Ça ne peut plus continuer, dis-je. Il faut que ça s'arrête. Maintenant. »

Je ne bouge plus. J'attends. Tu ouvres le grand parapluie jaune en m'invitant à me blottir contre toi. J'y vais, je marche

à ton rythme en me demandant si tu as compris, si tu m'écou-
tes quand je parle. En me caressant les épaules, tu me rap-
pelles doucement que nous sommes partis pour acheter un
futon et qu'à partir de maintenant je vais mieux dormir et
mieux apprécier la vie en général... Tu ouvres la porte du
magasin, secoues le parapluie et me fais signe d'entrer.

Justement

« C'est que vous n'avez rien compris, dit Delphine.
— Bien sûr, bien sûr », conclut l'autre.

Il lui tourne le dos, le vieil homme au tablier blanc. Elle sort de sa boutique, furieuse. Derrière elle, il lance encore :

« Je sais, vous ne remettrez plus jamais les pieds ici. Je sais, je sais... »

Et une cliente silencieuse sourit à l'homme au clin d'œil.

C'est tout de même un joli quartier, pense Delphine en foulant le trottoir. Non, elle n'y remettra plus les pieds, il a raison. Sur ce point, il a parfaitement raison.

Son regard attiré par un bel homme à imperméable, le corps souple, la démarche légère.

« Ça c'est extraordinaire, dit-il en s'approchant d'elle. Je pensais justement à toi, je lève les yeux et... te voilà ! »

Des baisers bruyants sur chacune des joues roses de Delphine étonnée.

« Dis donc, tu en fais une drôle de tête ! Tu viens encore de t'engueuler avec ton boucher ? »

L'homme rit, longuement, passant son bras autour des épaules un peu raides sous le manteau bleu.

« Écoute, t'en fais pas si t'as rien pour dîner, je t'emmène au restau, ça te va ? »

Il l'interroge à peine du regard en disant cela. Marché conclu. Il s'approche d'une jolie petite voiture. Il ouvre la portière et elle monte avec aisance, comme si elle répétait des mouvements de tous les jours.

C'est bien de rouler comme ça, sans rien dire. Non seulement ils sortent du quartier mais ils quittent aussi la ville, tiens... Il y a longtemps que Delphine n'a pas vraiment changé d'air. C'est bien, comme c'est bien, se dit-elle en le voyant insérer une cassette dans le lecteur. Il lui rappelle que c'est sa pièce préférée. Elle l'apprend.

« Tu n'as pas trop de vent ? »

Elle hoche la tête pendant que ses cheveux s'emmêlent. Elle sourit. Il avance la main, palpe la chevelure avec affection.

« Tu aimes toujours ? »

Il parle du geste, de la musique ou du vent ? De toute façon, elle aime, elle aime, voudrait qu'il cesse de questionner. Justement, il remonte le volume et accélère. Elle renverse la tête. Ferme les yeux.

Lorsqu'il éteint le moteur, demande qu'on fasse le plein, Delphine ouvre un œil en grimaçant. Cette odeur de carburant... Cet homme, cet homme qu'elle ne reconnaît toujours pas et qui demande :

« Bien dormi ? »

C'est si naturel. Elle n'a qu'à répondre oui.

Ils reprennent une petite route qui serpente et, tout à coup, au bout du ciel, la mer. Bientôt, assis l'un devant l'autre à une minuscule table ronde, ils sont partagés entre le coucher du soleil, sur l'océan, et la carte de fruits de mer sur la nappe blanche. De temps en temps, leurs yeux se croisent au-dessus de la corbeille à pain. Il commande une bouteille de blanc, des huîtres et...

« La lotte ou le saumon, Guylaine ? »
Elle ne répond pas.

Le parasol

Gilbert est parti.

Au bureau, chez elle au milieu de la nuit, chaque fois que cette phrase revient, l'impression que son cœur se décroche comme une balançoire aux cordes rompues, propulsée entre ciel et terre.

Gilbert est parti depuis... maintenant trois mois. Elle soupire et se dit que cela commence à bien faire. Mais elle ne se remet pas au travail et, la nuit, ne se rendort pas.

Après le boulot, Martine l'invite dans un bar qui domine la ville grise. Martine, la missionnaire, sacrifie son temps ce soir, oublie son Paul pour venir en aide à sa collègue de bureau dé-pri-mée qui doit sûrement avoir besoin de parler, ça se sent ces choses-là, ça se sent depuis deux ou trois mois. Mais c'est Martine qui parle, parle, s'interrompt elle-même pour enfin demander à la tristesse incarnée ce qu'elle va boire.

Pas le temps de répondre, Martine dit ce qu'il faut prendre parce que *dans ces cas-là*, elle, c'est ce qu'elle boit et c'est bon, tellement réconfortant...

Martine parle depuis longtemps. Plus elle boit, plus elle cause, mais l'autre n'écoute pas. Tout est flou. Tellement flou, depuis... Voit-elle seulement son verre ? Elle n'y a pas encore touché.

« Tu devrais boire... Bois donc ! Tu m'as toujours pas dit ce que tu as. Moi, je sais pas mais... Bon, je te dis ce que je vois, d'accord, alors si tu veux que je te dise, je trouve que... »

La déprimée trempe les lèvres dans la boisson colorée. Silencieuse, elle a d'abord retiré le parasol de papier qui décorait son verre. Elle le fait tourner entre ses doigts, délicatement, longtemps. Elle le regarde, vraiment, elle le regarde et le voit, ce qui devient de plus en plus rare parce que d'habitude, tout est si flou...

Elle fait valser le petit parasol sous la lampe suspendue. Elle le trouve joli dans la lumière, elle apprécie la finesse du papier, sa transparence.

Un parasol... au soleil. Sans Gilbert. Il y a bien longtemps qu'elle a pris des vacances, elle ne saurait plus comment. C'est vrai, comment peut-on prendre des vacances sans Gilbert ? Où faut-il aller, sans Gilbert ? Comment peut-on vivre, sans Gilbert ? Ses yeux se mouillent parce que la petite phrase lui revient encore : Gilbert est parti.

« Tu es certaine que ça ne te ferait pas du bien, des petites vacances ? » demande Martine en regardant l'heure qui scintille à son poignet.

Et elle se lève, Paul doit l'attendre, elle dit très fort qu'il doit l'attendre tandis que l'autre, face à son verre encore plein, reste fascinée par le parasol de papier.

« Tu les trouves beaux, les p'tits parapluies ? demande Martine avec une voix de mère. Tu peux prendre le mien, si tu veux... »

Un parapluie, la déprimée n'en veut pas. C'est d'un parasol qu'il s'agit, elle rectifie tandis que Martine hausse les épaules et s'éloigne en direction de la caisse. Au moment de sortir, celle-ci agite une main molle. « À demain ! »

Elle ne répond pas. Non. C'est bien décidé, elle va partir. Loin...

Dans son appartement, le silence lui semble réprobateur. Elle hésite. Ses gestes lents dans la chambre. Le parasol replié au creux d'une main.

La fermeture éclair de sa valise bleue refuse de glisser, elle force, ça n'avance plus. Gilbert le disait : « Tu en apportes toujours trop ! » Ça recule. Gilbert qui est... *ZIP !* La peau coincée. Les yeux mouillés. Parti.

Elle démarre la voiture dans la rue tranquille. L'impression de se sauver. De la petite phrase, c'est certain.

Crispée au volant, elle doit penser à respirer. D'habitude, plus elle avance, plus elle respire. Voyons un peu...

Rouler comme ça, au milieu de la nuit, mais s'apercevoir que plus on avance vers le Sud, plus la neige qui s'abat sur la route s'intensifie et oblige à ralentir. Au centre du pare-brise, le parasol de papier se balance.

Elle voudrait se rendre jusqu'à la frontière... C'est ce qu'elle veut cette nuit, changer de pays au moins, bouger, en avoir la preuve.

Elle ne distingue plus la route tellement tout est blanc, partout. À la station-service, les sourcils couverts de flocons de neige, un gros pompiste se frotte les mains :

« C'est encore pire de l'autre côté, vous savez ! Ils ont dit que ce serait comme ça pendant deux jours... Allez-vous loin ? »

Loin. Elle essaie d'apercevoir où se trouve la route. Avec une extrême lenteur, elle avance aveuglément, les phares dans le blanc, le blanc dans les phares comme le Nord dans le Sud.

L'homme a bien dit qu'elle verrait, ce n'était pas si difficile à trouver, il ne se souvenait plus du nom mais il s'agissait d'un endroit correct pour dormir, pour attendre. Un jour ou deux.

Elle se répète les indications qu'il a données. « Voyez, la route là-bas... » Non, elle ne voit pas la route, pas de route du tout. Une lueur peut-être. Oui, une petite lueur.

Elle distingue à peine l'enseigne rouge, devine le mot *Hôtel* qui se perd dans les flocons désordonnés. Les roues se prennent dans la neige, s'enlisent. Elle jette un œil sur la fermeture éclair de la valise bleue à côté d'elle et soupire. Coincée. Et la petite phrase aussi, au fond de sa gorge.

Elle éteint le moteur et s'abandonne sur le volant. Elle n'arrive pas à croire qu'elle a pu à ce point s'enfoncer dans l'hiver.

Elle se redresse, allonge le cou jusqu'à ce que ses yeux rougis apparaissent dans le rétroviseur, puis elle tend un bras décidé vers sa valise et sort. La portière claque, un bruit sourd étouffé par la neige.

Elle marche péniblement, ne perdant pas de vue la lueur chaude au loin, et elle se rappelle la petite fille aux allumettes. Elle plisse les yeux, découvre une à une les lettres lumineuses qu'elle peut enfin rattacher les unes aux autres. Hôtel Acapulco.

Summertime

L e bruit du ventilateur déglingué. Entre deux gronde-ments, les notes d'un saxophoniste nous parviennent de la rue piétonnière, mêlées au tintement de vaisselle des restaurants voisins. Il fume sa cigarette à contre-jour, installé à la fenêtre, les pieds sur le calorifère. Les rideaux secoués par le vent se cassent sur son dos nu. Le tissu est rêche, je vois l'ombre dérangée.

Je ne distingue pas son regard, est-il en train de m'obser-ver pendant que sa bouche exhale la fumée ? Des ronds bleu-tés s'élèvent au-dessus de sa tête. Beaucoup d'hommes s'amusent ainsi à former des ronds de fumée entre leurs lèvres, une façon acrobatique d'afficher leur maîtrise. Une parade animale avant l'accouplement, une sorte de rituel où le mâle annonce une éjaculation contrôlée.

Mes doigts suivent les lignes du tissu à chenilles qui sert de couvre-lit, je ne sais toujours pas s'il regarde vraiment dans ma direction, s'il me désire déjà. Il écrase fermement sa cigarette au fond du cendrier orné de pégases. Il se lève, fait craquer ses jointures. Il se plante debout, entre la fenêtre et le lit, je contemple sa silhouette, le mouvement de ses muscles lorsqu'il serre les poings. Il n'avance pas, ne recule pas non plus. J'arrive mal à capter l'expression de son visage mais, cette fois, j'ai la certitude qu'il me regarde. Son sexe s'allonge, par à-coups, tout juste si je n'entends pas les petites peaux se défroisser au fur et à mesure.

Il fait un pas vers le lit, un rayon de soleil pénètre dans la pièce jaunasse. Je crois apercevoir une gouttelette au bout de son sexe complètement dressé. Il se rapproche encore du lit, l'odeur de son membre me parvient. Je frémis. Il se penche alors, me prend par les aisselles et me soulève avec force, une volonté claire de m'installer debout, sur le matelas. Un ressort sous mon pied droit. Rapidement, sa main parcourt l'intérieur de mes jambes arquées et la vitesse avec laquelle il fait ce mouvement me rappelle les vérifications, les fouilles des douaniers d'aéroport lorsqu'ils palpent les corps. Je crains qu'il ne devienne trop expéditif.

Il retire sèchement ses mains, recule un peu comme ces gens qui examinent des tableaux, font un pas en arrière pour mieux voir. Le matelas bouge encore, je suis ballottée au rythme des grincements légers qui tardent à s'arrêter, je ne me sens pas très à l'aise. Sa froideur et son immobilité, cette distance entre lui et moi.

Le matelas enfin stable. Je n'ose pas faire un geste, de peur de réactiver les ressorts, on se guette comme deux bêtes en attente.

Il écarte les bras, invitant, la paume des mains ouverte. Aussitôt, je saute sur le lit comme sur un trampoline, l'élan nécessaire pour me projeter vers son corps poilu qui m'attrape au vol comme une mère gorille recevrait son petit.

Mon nez dans son cou, l'odeur soudaine de sa peau humide provoque un chatouillement dans mon bas-ventre et déjà, sa main en mouvements rotatifs sous mon sexe mouillé. J'entrouvre la bouche près de son oreille. Sa main laisse descendre mon corps le long du sien, lentement, mon menton retenu par son épaule tout à coup. Les poils de son ventre gommés par ma vulve juteuse.

Son gland roule entre mes jambes comme une bille de désodorisant sous l'aisselle. Je m'essouffle de le vouloir. Ses deux mains chaudes sous chacune de mes fesses que je devine fraîches, il me retient, fait un pas vers le lit sur lequel il me laisse tomber, brusquement, mon corps rebondissant sur le matelas. Il se tient debout, me regarde allongée et décontenancée. Il sourit, j'ai envie de hurler. Je réentends des voix qui se sont succédé dans ma vie, des voix plaintives qui disaient « il m'a laissée tomber » et je sens ce que cela signifie dans les moindres contractions de mon sexe.

Il s'assoit au bord du lit, ce qui a pour effet de contenir le sautillement des ressorts. Il pose une main calme sur mon sein droit, puis sur l'autre à travers lequel il doit sentir mon cœur qui se débat. Son sexe lustré par ma sève. Je le regrette.

« Vous êtes gourmande », lance-t-il.

Il se mord la lèvre après avoir dit cela. Il me touche les pieds, allonge les doigts comme pour en dessiner le contour. Il hoche la tête, n'en revient pas. Il suit la courbe de mes jambes avec ses mains, dessine des ronds avec l'extrémité de ses doigts dans ma toison. Il ne se lasse pas de regarder, de mesurer.

« Vous n'êtes pas au cirque », dis-je.

Il rit tout bas, pour lui-même, me gardant ainsi à l'écart. C'est peut-être ce rire, qu'il croyait discret, précisément ce rire qui me pousse à lui montrer, lui montrer... Ou est-ce avant, le fait qu'il me renverse sur le lit, ou ces ronds qu'il s'est permis d'inscrire sur mon corps, je ne sais pas, c'est tout cela à la fois, certainement, qui me fait bondir, debout sur le lit, saisissant le gouvernail de ce voilier duquel il n'a plus qu'à subir les vents, les secousses, oui, je me tiens debout et il m'observe, étonné mais encore amusé, je vais lui montrer...

Je tire ses épaules vers l'arrière afin de les coller contre le matelas. Il renverse la tête en riant, docile. J'écarte les jambes et je pose mon pied sur son ventre, comme un marin sur un quai au moment d'accoster. Instantanément, son sourire s'efface. Le souffle coupé. Il avale sa salive puis il dit quelque chose que je n'écoute pas, d'autant plus que la fin de sa phrase se trouve entremêlée d'un fracas de vaisselle, dehors. Le saxophoniste, du coup, s'est arrêté net.

Je m'accroupis près de sa chevelure, les coudes plantés dans les genoux. Je réfléchis. Par où ai-je envie de commencer ? Mérite-t-il seulement que je lui montre de quoi je suis capable ? Pendant que je me questionne, son regard ému perçoit peut-être en moi une enfant en train de faire voguer son voilier miniature dans le bassin d'un parc... Ne se doute-t-il pas que c'est lui que je regarde couler avec ses fantasmes d'enfants aux corps de femmes ? Il caresse ma joue et moi ses cheveux, curieusement, il n'y a plus rien de sexuel dans nos gestes.

Sur le trottoir, le saxophoniste joue *Summertime*. J'imagine les touristes s'attrouper autour de lui. Rarement leurs désirs se rencontrent. À cause du ventilateur, on ne peut pas entendre le tintement des pièces de monnaie au fond du vieil étui, on ne sait pas ce que ça coûte...

« J'ai toujours voulu coucher avec une naine, avoue-t-il.

— Pourquoi ?

— Pour voir, rien que pour voir... »

Une petite brise transporte les applaudissements blasés des touristes.

La campagne

« Je développe de plus en plus d'allergies comme celle-là », confie-t-elle en frottant son œil gauche.

Autour de la table à pique-nique, dans l'herbe haute, tous continuent à manger, concentrés, le front baissé au-dessus de leur plat de résistance. Des grillades marinées, accompagnées de salades, disparaissent sous les dents féroces. Un regard se tourne vers elle mais elle ne s'aperçoit de rien, rêveuse, appuyée sur ses poignets, suivant avec des petits mouvements de la tête la trajectoire d'un insecte bruyant.

« Des fois, j'ai l'impression que je deviens allergique à la vie en général », poursuit-elle sans se préoccuper de savoir si quelqu'un l'écoute.

Elle se lève de table, c'est facile lorsqu'on ne mange pas. Pas assez, a remarqué Julien qui s'est tourné vers elle. Il la regarde s'éloigner avec sa démarche indifférente sur le chemin de terre au bord duquel elle s'arrête un moment, le temps d'arracher une marguerite avec une certaine violence. J'en profite pour saisir la dernière bouchée dans l'assiette de Julien. Il me dévisage.

« Il y en a d'autres, si vous en voulez ! » précise André.

Je rougis sûrement un peu, la jambe de Julien est venue secouer mon genou.

Plus qu'une petite tache de couleur au bout du chemin de terre. J'ai envie qu'elle disparaisse, complètement.

On fait circuler un plateau de fromages, Julien ne le voit pas passer, il gratte son cuir chevelu avec les ongles, fixant au loin le petit point que je vois bouger encore. Je lui donne un coup de coude, lui montre le couteau qui lui est tendu.

« Sers-toi ! dis-je.

— Je n'ai plus très faim », répond-il en pointant la lame sur le bras de son voisin qui sursaute.

Julien lève le menton vers le feuillage des arbres, trop émerveillé :

« Il y a de ces oiseaux ici, c'est fabuleux ! »

Je renchéris :

« Des oiseaux rares... »

Maladroitement, Julien sort ses jambes de sous la table à pique-nique et marche en direction du chalet. Un moustique vole du sang sur son mollet. Il ne réagit pas.

J'étends du fromage bleu sur mon pain. Je prends le temps de contempler chaque bouchée avant de la porter à ma bouche, peut-être pour ne pas avoir à lever les yeux vers qui que ce soit. Cette tache me semble grossir à présent, sur le chemin. Un silence insupportable enfin rompu par André :

« C'est vrai qu'ici, les oiseaux... »

Julien sort du chalet en faisant claquer la porte à moustiquaire. Il est fier de ce qu'il tient et ne se rend pas compte que la tache redevient silhouette là-bas.

« Ce n'est plus la peine », dis-je.

Il fronce les sourcils, ses jumelles entre les mains.

Maintenant qu'elle marche dans l'herbe, en se rapprochant de nous, son monologue nous parvient.

« L'hiver, c'est la neige. L'été, le pollen... »

Il est vrai qu'au-dessus de nos têtes volent des flocons d'été semblables à ceux de l'hiver. Facile ! Elle s'immobilise près de la table, debout, comme Julien. Il paraît embarrassé, tout à coup, avec les jumelles.

J'ai connu Julien dans un sous-bois alors qu'il donnait un cours sur les champignons. J'avais été surprise de voir un mycologue porter des jumelles à son cou, mais j'ai vite compris que Julien, enclin aux digressions, passait souvent des champignons aux oiseaux et en profitait pour observer ne serait-ce qu'un moineau dès que quelque chose bougeait dans les feuillages. J'avais été entraînée là par une copine de travail. Je venais de passer la nuit avec le barman musclé de l'établissement où on était employées toutes les deux. Je ne serais jamais sortie du lit si l'énergique Thérésa, habillée en exploratrice, n'avait sonné avec insistance chez moi ce matin-là. J'ai à peine embrassé la bête qui occupait toute la place dans mon lit défait, pris un train de banlieue dans lequel Thérésa m'avait poussée, et j'ai finalement dormi pendant tout le trajet. Je ne saurais plus retrouver ce bois à l'orée duquel, encore ensommeillée, j'ai aperçu Julien pour la première fois.

« C'est lui, l'animateur ? Il ressemble à un champignon », avais-je soufflé à ma copine.

J'ai horreur de la campagne. Un lieu de compétition sans pareil. Chacun essaie de nommer le maximum d'oiseaux, d'arbres ou de fleurs en un temps record. Tout le monde discute et personne n'écoute ou ne respire ce qui apparaît pourtant, une fois à la ville, le plus précieux, le plus caractéristique de la campagne.

Je préfère manger dans les restaurants où on apporte son vin. On s'y amuse à l'abri des moustiques et là, au moins, pas question de faire la vaisselle comme ici, avec les moyens rudimentaires du chalet où il faut mettre l'eau à bouillir.

« Moi, je veux bien essuyer la vaisselle, décide-t-elle, mais pas la laver parce que le savon, ça a quelque chose d'irritant qui... »

Elle frotte ses mains l'une contre l'autre et Julien, grand et silencieux à côté d'elle, en observe la douceur.

« Je vais la laver », bégaie-t-il.

Je lève les yeux au ciel.

« Tu veux peut-être les jumelles », suggère-t-il, perspicace.

Il me tend ses lorgnettes, j'aurais plaisir à les laisser tomber si par bonheur nous nous trouvions sur de l'asphalte.

« Attendez donc, il reste encore le dessert ! » rappelle André.

Et en riant :

« Je n'ai jamais vu des invités si pressés de faire la vaisselle ! »

Il contourne le plongeur et l'essuyeuse qui, elle, n'a peut-être rien entendu, occupée qu'elle est encore à masser ses doigts fragiles.

André revient avec une tarte fumante qu'il dépose au centre de la table en précisant qu'il l'a préparée lui-même « avec des belles p'tites fraises des champs ».

La vapeur se dégage des trois courtes incisions, au milieu de l'abaisse, comme sur les images représentant des réveillons de Noël dans les livres anciens. Tous s'exclament, André est ravi. Julien, bien sûr, est revenu s'asseoir. Quant à elle, impossible de savoir, pour l'instant, si elle consentira à en manger.

« Tu les as cueillies où, André ? » se préoccupe-t-elle.

André a la bouche pleine. Les invités murmurent en savourant la fraise. Du bout de sa fourchette, elle imite Julien avec un morceau de tarte.

Je n'aime pas qu'on imite Julien. Elle a entamé son dessert uniquement pour faire comme lui. Je dépose bruyamment ma fourchette au bord de mon assiette. Toutes les têtes se relèvent, autour de la table, surtout la sienne avec ses yeux bleus qui s'écarquillent soudainement. Elle pousse un grand cri, très aigu, se redresse et finit par sauter à pieds joints sur le banc. Du dessous de la table, sort un petit chat qui court à toute allure, épouvanté.

« C'est rien que Museau ! Tu lui as fait peur, pauvre p'tite bête... », reproche André.

« Ah, j'ai horreur de ça ! » souffle-t-elle en dégageant lentement ses mains de son visage.

Elle se rassoit. Les autres recommencent à manger en silence. André se détache du groupe et, sur la pointe des pieds, avance lentement dans l'herbe pour rattraper son chat apeuré. Je le vois accroupi près de lui, mais je n'entends pas ce qu'il raconte à cette masse de poils hérissés sous sa main. Je n'ai aucune sympathie pour ces bestioles. Tout de même, je vais rejoindre André et, comme lui, j'emprunte une voix mémère, chuchotante, pour dire au minet combien je sais ce qu'il doit ressentir après les cris de l'idiote.

« Je t'aime », lance André en flattant Museau.

Je regarde André.

« Moi aussi », dis-je en tournant les talons.

J'ai seulement fait « moi aussi », je ne suis pas certaine d'avoir prononcé un « je t'aime » depuis que je connais Julien... mais le barman dans mon lit, un Français, m'en avait soufflé un que je répétais à l'époque, amusée par le nouveau sens que cela prenait. « Jeu t'aime. » L'amour n'était donc qu'un jeu, c'est d'ailleurs ce qu'il fredonnait souvent, le barman, en essuyant ses verres.

Pour Julien, cela apparaissait plus sérieux. Une fois la journée de mycologie terminée, il m'avait invitée à aller chez lui pour goûter nos girolles grillées à l'ail. J'avais trouvé son plat exécrable, alors nous nous étions retrouvés chez moi, pour un spaghetti. Il n'a pas eu le temps de l'engouffrer à cause de mon envie soudaine de passer au lit. Je me sentais épuisée par cette journée ridicule, mais aussi par la nuit précédente. Nous nous sommes glissés sous les draps encore chauds d'où la bête venait de sortir, son odeur m'excitait encore, Julien a touché mon sexe en disant « Je t'aime ». J'aurais dû me douter que, pour lui, il ne s'agissait pas d'un jeu. Il n'est jamais reparti.

À table, Julien s'apprête à porter un toast avec l'imbécile qui lui demande d'attendre un moment. Il reste là, le bras levé comme la statue de la Liberté, tandis qu'elle coupe son vin avec de l'eau. Elle va faire tinter les verres avec un rire nerveux.

Je desserts la table, la porte à moustiquaire claque mais personne ne se rend compte. Au loin, berçant son chat entre ses bras, André me regarde aller et venir.

Il faut que je m'occupe, je suis ainsi faite, il me faut m'activer quand je sens poindre l'exaspération. Malgré moi, je remplis d'eau la vieille bouilloire, j'allume le feu de la cuisinière à gaz en me brûlant légèrement avec le bout de l'allumette, et je pose l'antiquité sur le feu.

Je tourne en rond, je sais. Des ricanements me parviennent, je peux imaginer toute la tablée en sourires bordeaux. André n'est plus qu'une silhouette sous le ciel obscurci. Il entre chercher des bougies et me confie d'un ton rassurant que Museau va beaucoup mieux, puis il sort.

Je verse l'eau bouillante, le savon de mauvaise qualité fait peu de mousse sur la vaisselle grasse. Sous l'évier, une araignée parcourt les gants de caoutchouc jaunes que je comptais utiliser. Je les lance au fond de la grande cuisine et fais plutôt couler de l'eau froide dans le bac de plastique.

La porte à moustiquaire se referme doucement, sans claquer, derrière moi. Ce ne peut être que Julien, docile, qui vient me remplacer à la plonge. Je n'entends plus le rire de la sotte venir de l'extérieur, il a bien fallu qu'il s'absente. Je ne détourne pas la tête, je ne veux pas l'apercevoir honteux de ses comportements avec elle. Je vais plonger les mains dans l'eau à peine savonneuse en sachant bien que, comme un enfant contrarié, il criera « Non, c'est moi qui lave, je l'avais dit ! » Il espérera qu'elle vienne essuyer, tel qu'elle l'a promis, il fera « Non » et je dirai « Oui », calmement, en souriant. J'enfonce les doigts dans le liquide répugnant.

« Non ! Il faut mettre des gants, crie-t-elle dans mon dos. C'est très nocif... »

Elle aperçoit tout à coup, je suppose, les gants lancés à l'autre bout de la pièce et elle se tait. En silence, je lave et elle essuie.

Au bout d'un moment, elle demande d'un ton curieux, presque complice :

« Vous aimez la campagne ? »

Taureau

« Tout l'monde deboute ! »

J'ouvre péniblement les yeux. Je ne rêve pas. La voix rauque, dans la ruelle, répète : « Tout l'monde deboute ! » Je regarde l'heure. « Deboute, gang de câlisses ! » reprend l'homme à la bouche molle, dehors. Il est 6 h 30. Je bâille. À la fenêtre, je vois rouler une bouteille vide sur l'asphalte. Le clochard tousse, s'éloigne.

Je me demande à quoi je rêvais. À quoi peut rêver un Montréalais à six heures du matin, quand la moitié de son lit n'est pas défait ? Les femmes sont belles, en ville, mais c'est comme si elles avaient trop à faire. Elles viennent quand elles peuvent et repartent sans rien dire. On ne sait pas. Et on ne sait jamais.

En tout cas, hier soir, pas une. Pourtant, la lune était ronde, la ville était chaude. Ça grouillait de partout. Je n'avais rien à faire. Aujourd'hui, rien de spécial non plus, il me semble. Je suis ce qu'on appelle un homme libre.

Les roues d'un chariot grincent. Le vieux camelot marmonne sur le trottoir. Mon journal. J'ai l'impression de tricher, d'habitude je ne l'entends pas venir. Je me suis abonné au *Devoir* à l'époque où je cohabitais avec un gars qui ne supportait pas de me voir lire *Le Journal de Montréal*. Il disait que *Le Devoir*, c'était mieux, et je me suis laissé convaincre. Mon coloc est parti vivre avec une brune à lunettes et moi, je suis resté avec un journal qui, à vrai dire, m'ennuie. Ce n'est pas que je sois un mordu de sports, mais j'aime mieux savoir tout ce qui se passe en ville plutôt que d'apprendre qu'il y a eu un coup d'État dans un pays que je ne connais même pas.

Je mange mes toasts, fixe le journal plié sur la petite table en fer du balcon. Dès les premiers jours de printemps, j'installe cette table avec deux chaises, face à face. C'est souvent ici, en pleine lumière, que se confirme la beauté de celle avec qui j'ai passé la nuit. Elles font toutes la même remarque sur mon vieux peignoir effiloché. Je crois qu'au fond, j'espère passer assez de temps avec une femme, un jour, pour qu'elle décide de m'en offrir un, tout neuf, de la couleur qui me va le mieux. Je me demande bien laquelle c'est, *ma* couleur, en mélangeant le sucre au café dans ma tasse arc-en-ciel.

Le tintement de ma cuiller au bord de la soucoupe. La sonnerie du téléphone, au loin, je n'en suis pas certain... Je me lance à l'intérieur. Je n'aime pas courir en pantoufles. Je décroche et reconnais la voix de mon neveu. Je dis :

« Olivier ? Pourquoi tu téléphones à *mononke* de bonne heure de même ? T'aurais pu m'réveiller, t'sais... »

Qu'est-ce que je vais faire, moi, toute une fin de semaine ici avec un enfant de huit ans ? Il veut venir à Montréal, il veut venir à Montréal !... Bon, bon...

J'arrive mal à enfiler mon jean, un vingt-cinq cents roule sur le plancher, ma chemise d'hier sent trop mauvais et je ne vois rien pour la remplacer.

Je me répète qu'il faut me calmer, que vendredi soir n'est après tout que dans trois jours, que ça me donne le temps de me faire une blonde un peu maternelle qui aura plein de bonnes idées pour Olivier. Je sors.

J'essaie de ralentir le pas, sur le trottoir. C'est plus fort que moi, j'ouvre brusquement la porte du dépanneur.

Monsieur Lajeunesse a sursauté derrière son comptoir. Il me regarde, jette un œil sur la photo du criminel recherché qui fait la une du journal à côté de la caisse, m'interroge d'un signe de tête. J'en prends un exemplaire, le fais glisser sur le comptoir avec un billet de deux dollars que je lance comme un deux de pique. Lajeunesse ramasse.

La sonnerie de la vieille caisse et le tiroir s'ouvre dans notre silence habituel. Il rafle quelques pièces qu'il tient en serrant le poing, puis il écarte ses gros doigts poilus, relâche de haut la monnaie qui tombe sur le petit cœur tatoué au creux de ma main ouverte.

Une fois dehors, j'ouvre le journal. Les filles me demandent souvent « C'est quoi ton signe ? » et j'ai pris l'habitude de regarder... Ce n'est pas que j'y croie tellement mais, des fois, c'est assez vrai. Aujourd'hui... *Jour formidable dont vous vous souviendrez. AMOUR : Vous sentirez des impulsions sexuelles presque irrépressibles, d'une violence inhabituelle. Contrôlez vos passions, mes chéris, sinon vous allez droit au drame, même au désastre. CHANCE : N'en prenez aucune ni aux sports, ni avec le feu, les armes ou objets coupants. Jouez peu, le 8-5-0 combinés pouvant aider.*

Je replie le journal. Le criminel de la page couverture me regarde droit dans les yeux. Au coin de la rue, une poubelle identifiée par un panneau rouge : LA PROPRETÉ CROÎT AVEC L'USAGE. Je m'approche. Le rouge m'a toujours attiré et à cause de cela, quand j'étais petit, ma sœur disait que j'étais comme les vaches. Un jour, elle a fait la remarque

devant mes chums qui ont tout de suite commencé à me sur-
nommer Vache. Vache Vachon.

Je laisse tomber mon journal dans la poubelle. Moi, j'ai
toujours pensé que seuls les taureaux étaient attirés par le
rouge. Je ne suis pas Vache, je suis Taureau. Un vrai taureau,
même dans l'horoscope. Je regarde la poubelle, comme si je
venais d'y jeter Vache Vachon.

Sur le trottoir d'en face, les enfants d'une garderie
marchent ensemble, liés par un gros câble rouge et bleu. Ils
suivent leur belle monitrice à la peau dorée. Je me sens
comme eux, rivé à elle, peut-être à cause de sa beauté et aussi
parce qu'auprès de cette femme, le danger n'existe pas. Elle
entonne une chanson et toutes les petites voix se joignent à
la sienne, forment un autre câble, invisible au-dessus de leur
tête. Ils tournent au coin de la rue et je ne me décide pas à
les voir disparaître. Je tourne moi aussi, derrière eux, accro-
ché au câble invisible.

Ils s'installent en cercle dans l'herbe du parc, déposent
leurs petits sacs colorés. Oui, c'est au parc qu'il faudra venir
avec Olivier ! Je m'assois sur un banc pour admirer l'étang.
On pourra même louer un pédalo, tous les deux. Après, je
l'amènerai voir la statue de Félix, un Québécois *deboute*,
mais Olivier dira qu'il n'a même pas de pieds.

« Moi, c'est Jeanne. »

Je me retourne. Une femme à la chair flasque s'installe
sur le banc. Elle ne me regarde pas. Je me demande même
si j'ai bien entendu. Une phrase qui sortait de nulle part...

« Et toi ? »

Elle ouvre le panier d'osier qu'elle a posé entre elle et
moi, en sort de la laine et des aiguilles à tricoter. Elle se met
à l'œuvre comme si elle n'attendait pas de réponse de ma
part, mais je dis tout de même :

« Taureau.

— Tiens, c'est drôle ça... »

Pour la première fois, elle pose ses yeux très verts sur moi. Je remarque ses paupières ridées. Je me demande : « ...et ses seins ? » Je n'ai jamais couché avec une femme de son âge. Elle dit :

« Taureau...

— Ouan...

— J'ai justement un jacquard...

— Un jaguar ?

— Pas un jaguar ! Un taureau, que j'ai tricoté dans un chandail jacquard...

— Wow ! Un gilet avec un taureau ?... »

Elle m'examine. Les épaules, les bras... Sa langue sur ses lèvres minces. Elle murmure...

« C'est à peu près de ta grandeur, à part de ça.

— Ouan ?...

— En plus, ça serait *ta* couleur...

— Quelle couleur ?

— Rouge. »

Je suis muet. Jeanne range son tricot et, au loin, les enfants de la garderie s'en vont avec la belle monitrice.

« Viens-tu le voir ? C'est chez nous. Juste là. »

De son menton pointu, elle montre un vieil immeuble délabré, de l'autre côté de la rue.

Je marche avec elle. Mon horoscope l'a dit, « une journée formidable ». Un chandail rouge avec un taureau... Olivier va aimer ça ! Et comme elle tricote, Jeanne, peut-être qu'elle aime les enfants ? Tandis qu'elle ouvre la porte de chez elle, je lui demande :

« Aimes-tu les enfants, toi, Jeanne ? »

Elle pousse la porte derrière moi et, d'une démarche étrange, elle s'approche d'un lit mou au fond de la pièce.

« En tout cas, j'aime les hommes ! » lance-t-elle.

Elle soulève sa drôle de jupe en laine.

« Euh... C'est toi qui l'as tricotée ? »

Elle se laisse tomber sur le lit en retroussant davantage son vêtement pastel. Elle écarte les jambes et, je ne sais pas pourquoi, je commence à la désirer. Elle m'appelle, agite ses longs bras maigres comme quelqu'un qui se noie. Je plonge.

Mon doigt suit une veine à son cou. Jeanne me demande de presser. Elle est de plus en plus excitée. Moi aussi. Elle prend mes deux mains et les pose autour de son cou, me dit de serrer. Plus fort. Cela me rappelle quelque chose... Peut-être un film ?... Ses petits cris, ses soupirs, puis sa façon de se débattre me donnent l'impression de me trouver au milieu d'un mauvais rêve. Un rêve connu.

J'entends une voix qui veut me réveiller, me sortir de là. Jeanne a fini de bouger. Elle n'était pas maternelle. Toujours ce cri :

« Deboute ! Deboute ! »

Et je suis là, debout près du lit. C'est ma voix à moi qui s'adresse à Jeanne.

« Deboute ! Deboute câlisse !... »

Je comprends qu'elle ne bougera plus. Je me rapproche de la porte. Je regarde la chambre et, sur une chaise, le chandail rouge avec un taureau. Je l'enfile et marche jusqu'au métro. Je lis : *Une rame de métro, c'est 850 autos.* Ce serait trop dangereux pour Olivier. Il ne viendra pas à Montréal mais il me verra, dans le journal.

Point de vue

Il me dit « Regarde ! » et je tourne la tête vers lui, puis vers le point qu'il désigne avec son doigt rigide. Il constate qu'il est trop tard, replie le doigt, contrarié. Il est trop tard, il a raison. J'ai manqué ce qu'il voulait que je voie au moment où je m'apprêtais à lui dire « Écoute ! »

Je n'ai rien vu. Il n'a rien entendu.

Nous continuons la promenade sur le belvédère. Ce genre de paysage, qui m'émeut habituellement, me laisse complètement indifférente. Il hésite un moment puis, avec le bras, m'enveloppe les épaules. L'impression que ce poids me courbe le dos. Son geste me semble de trop, lui-même justifie :

« Tu as froid... »

Ai-je encore besoin de toi ? Faut-il absolument que tu me sois indispensable ? Il rit et je ne comprends pas. Je ne l'avais pas vu, l'enfant barbouillé de glace au chocolat. Je m'éloigne tandis qu'avec un sourire figé, il reste à l'observer.

Je m'avance au bord du précipice, je plie les coudes sur la rampe protectrice. J'examine le bout de mes chaussures. Il m'a expliqué, ce matin, qu'il lui était difficile de comprendre pourquoi je chaussais mes escarpins pour aller faire une promenade. En silence, j'ai enfilé mon chandail rouge et j'ai peint mes lèvres en noir.

Je sais qu'il approche, ses pas sur la plate-forme de bois. Avec une voix prudente il m'implore de ne pas faire ça. Je fais volte-face et, avec une mèche de cheveux dans la bouche, je lui demande :

« Ne pas faire quoi ? »

Je l'entends qui soupire en considérant le terre-plein pour revenir ensuite à mes talons hauts.

« Ah non, tu ne vas pas recommencer ! » lui dis-je.

Il répond que c'est moi qui recommence.

Nous descendons les marches étroites du vieil escalier, croisons des touristes aux appareils-photos bringuebalant sur leurs corps avachis. De retour chez eux, ils montreront des images, des souvenirs aux amis, mais eux-mêmes ne voient rien et, dans la langue qu'ils imposent, ils parlent trop fort parce qu'ils n'entendent pas. Le talon de ma chaussure droite se coince dans le bois fendu d'une marche, mon pied se tord, je perds l'équilibre. Je cherche à m'agripper mais je sens le vide puis le vent, du vent comme dans les manèges. Je déboule. Les déclics dans le silence, puis le choc de mes membres sur le bois. Le bruit d'une poupée que je m'amusais à lancer du haut des escaliers, quand j'étais enfant, me revient en écho.

Son cri me parvient. Je voudrais pouvoir lui dire « Écoute ! » mais il dirait « Regarde ! » Regarde où tu marches.

Battement

Le navet

On plonge dans la pénombre sans dire bonjour. On choisit un fauteuil comme dans une salle d'attente enveloppée de musak. Seulement, ça ne gargouille pas dans mon ventre comme chez le dentiste.

Depuis une semaine, je dis « on », pour tromper la solitude peut-être. J'ai regardé les affiches et j'ai murmuré : « Pourquoi on n'entre pas ? » Oui, j'ai vraiment murmuré, cela a fait de la buée... pour moi-même.

À la guichetière on a dit le minimum parce qu'on n'avait pas envie de s'attarder. Cela arrangeait ceux qui faisaient la queue, derrière. On a su résister au parfum du maïs éclaté parce que ça fait trop de bruit et qu'on ne supporte pas. En s'approchant lentement de la salle, on a demandé :

« Est-ce qu'on peut entrer ? »

Le garçon a répondu par une question mais on était occupée à regarder un bouton blanc, bien mûr, sur son menton encore imberbe. On n'a pas dit ce qu'on était venue voir, alors il s'est approché pour examiner le billet, puis il a fait signe d'attendre.

On a guetté les grandes portes derrière lesquelles résonnait une musique émouvante. On a attendu d'apercevoir un premier visage, chiffonné, agressé à la fois par la foule et les néons. On s'est souvenue de l'enfance, de s'être levée pour faire pipi au milieu d'une soirée où les invités parlaient fort dans trop de lumière.

On a regardé défiler les gens qui sortaient et on s'est demandé pourquoi on voulait entrer. Mais dès que le portier a cessé de tripoter son bouton et qu'il a fait signe d'avancer, on est partie la première. On a hésité à mettre le billet dans une poche du manteau. On l'a finalement gardé dans la main pour pouvoir l'enrouler autour d'un doigt. On a dit pardon. Mais on ne dit pas bonjour quand on entre dans la pénombre.

On se demande pourquoi cet homme déjà assis dans la salle. On a dit pardon pour passer devant lui, dans la rangée étroite, mais on n'ose pas s'installer dans le fauteuil voisin. On laisse l'espace d'une frontière.

L'homme lit un journal et avec la musak, oui, l'impression d'une salle d'attente. Mais ça ne gargouille pas dans son ventre. Il n'y a que le froissement du journal et celui du billet entre mes doigts. Une certaine gêne.

« On dirait qu'il n'y aura pas grand monde, dit-il en tournant une page de son journal.

— On dirait que non. »

L'homme s'est adressé à moi sans me regarder mais il semble à l'aise, parle d'une façon dégagée comme à une femme qu'on ne voit plus au milieu de son salon feutré. Sans se détacher du journal, il demande :

« Et vous ? »

Cette fois, il scrute mon regard dans la demi-obscurité.

« Je... dirais que non. »

Devant nous s'installent une jeune fille et son copain aux cheveux ébouriffés. L'homme jette un œil au-dessus du journal et ne tarde pas à réagir à cet obstacle dans son champ de vision. Calmement, il plie le journal, ramasse son manteau et quelques objets qu'il avait dispersés autour de lui. Il se soulève avec la force de ses bras pour ensuite se laisser tomber dans le fauteuil voisin, voisin du mien. Plus de frontière.

« Pardonnez-moi, dit-il. Je préfère les chauves ! »

Il m'aurait dit « Je préfère les blondes » et j'aurais été rassurée. On regarde l'accoudoir qu'il faudra partager.

« Je vous en prie », fait-il d'un geste galant.

Rétrécie au fond de mon fauteuil, je ne bronche pas.

« La mouche dans une encoignure, souffle-t-il en reprenant son journal.

— Peut-être... » dis-je en rougissant dans l'ombre.

Le rire de la fille de devant, plongée dans une bande dessinée. Son copain sourit à peine, distrait au-dessus d'une image qui devrait l'amuser. Elle referme l'album. Mon voisin, son journal. Les rideaux s'ouvrent.

J'essaie de détendre les muscles de mes épaules, d'occuper ma place. La mouche déplie ses ailes. L'homme pose son regard sur moi. Je me dis que le résultat commence à se voir, que je commence à remplir le fauteuil à force de respirer. Sur l'écran : *La mouche dans une encoignure BIENTÔT À L'AFFICHE.*

La proximité de cet homme, alors qu'il y a tant de sièges vacants, me donne l'impression que je l'accompagne. Je me rends compte, tout à coup, qu'il reprise des chaussettes dans le noir. Je le regarde. Il quitte à peine l'écran des yeux, on dirait ma mère devant ses téléromans. L'aiguille glisse de façon naturelle. Un spectacle réconfortant. Mais je suis venue voir un film.

L'héroïne se saoule dans un café presque vide, se dissimulant derrière la fumée de sa cigarette pour déclamer des balivernes. À son insu, un drôle d'homme l'écoute en buvant son whisky, la tête dans les épaules. Pas trop sûr de lui, il dit qu'il s'offre pour la nuit, question d'unir leurs solitudes... La femme plisse les yeux, écarte la fumée, cherche à repérer d'où vient la voix chevrotante. En apercevant l'homme, elle s'esclaffe.

— *Voyez-vous ça ! Draguée par un infirme !... Il manquait plus que ça...*

Elle avale d'un trait le reste de son verre et poursuit.

— *Bof, après tout, on s'en fout. Ma mère avait un cul de bison et mon père jouait avec elle !...*

Elle se lève en titubant.

À côté de moi, l'homme qui me dévisage. Je lui souris. Une main chaude vient serrer la mienne très fort, puis elle retourne au travail de reprisage.

Le visage convulsionné du handicapé en plein orgasme au-dessus de la protagoniste ivre morte. Je suis dégoûtée. Mon voisin a cessé de repriser. Il range ses chaussettes dans un sac qu'il froisse longuement. Devant nous, au milieu des cheveux en désordre du jeune spectateur, apparaît tout à coup un visage qui émet un « Chut ! » exaspéré. Mon voisin lui dit « Pardon » et ajoute, en chuchotant, « Je l'ai fait exprès ! »

On se regarde. Il a un sourire espiègle et des joues de gamin que je voudrais caresser. J'ai envie de le voir à la lumière.

« On est venus voir un navet », dit-il.

Ma voix répète comme dans un cours de langue : « On est venue voir un navet... »

Je boutonne mon manteau et me lève, décidée.

« Allez-y, je vous rejoins », lance-t-il.

Je perds de l'assurance en marchant dans l'obscurité. Je pousse les battants et me retrouve en pleine lumière artificielle, comme dans un petit matin fabriqué où il faut reconstituer les rêves de la nuit.

Immobile entre le boutonneux, près de la porte, et la vendeuse de maïs accoudée à son comptoir désert, je fixe le vide. Je serais passée à travers l'écran que le choc n'aurait pas été plus violent.

« Vous ne vous sentez pas bien, madame ? » demande le portier en s'approchant de moi.

De fait, j'ai un peu mal au cœur à la vue de son bouton qu'il a dû faire éclater après le début de la séance.

« Oh... ça saigne », dis-je.

Il m'indique les toilettes. Je ne comprends pas. Je guette les portes de la salle de projection d'où mon voisin ne sort toujours pas. J'ai l'impression que c'est peut-être moi, le navet dont il parlait. Il m'a fait sortir pour rien et, à l'intérieur, il se moque bien de moi. Il vient sans doute repriser ici tous les jours, se spécialise dans ce genre d'attrape. J'ai chaud. Je fais un pas. Je me dis « Allez, on s'en va d'ici ! On vaut plus que ça. »

On avance. On a oublié ce qui existe dehors. C'est fait pour ça, le cinéma ? On se retourne, plan général : la fille au comptoir, le maïs éclaté et le boutonneux au menton ensanglanté. Ma voix parvient jusqu'à eux.

« Vous savez, l'homme qui était là avant tout le monde... ?

— L'homme... »

Les battants s'écartent doucement. Le portier accourt pour ouvrir plus grand. Mon voisin apparaît, agrippé à une marchette d'aluminium, les hanches proéminentes et les jambes torses. Sur son front, un pli d'inquiétude se dissipe quand ses yeux clairs me trouvent. La même douceur, sur son visage.

« Vous m'avez attendu », dit-il.

Au coin

« **C**'est juste au coin. »
J'ai relu le numéro sur le bout de papier froissé que je serrais depuis mon départ. On ne m'avait pas menti, le nom brillait sur une plaque dorée à droite de la porte.

Mon entrée a déclenché une vieille sonnerie rauque qui s'est tue lorsque j'ai refermé derrière moi. « Il faut être sonné pour venir ici », ai-je lancé à la réceptionniste. Sans sourire, elle m'a montré les fauteuils de la salle d'attente en chuchotant « Monsieur... », m'invitant ainsi à avancer dans cette pièce où l'on devient une ombre.

La lumière tamisée, exprès, à peine suffisante pour éclairer les revues disposées là, à portée de nos mains moites. Je commence à feuilleter un exemplaire et ne découvre qu'une multitude de photos de femmes dont les coiffures varient, autant que les maquillages, mais elles restent les mêmes avec leurs yeux bêtes. Elles sont bêtes. Je le sais. On m'appelle.

Je ne m'attendais pas à cela. Une blonde, ronde de partout... Non, c'est son ventre qui est rond. Elle boit de la tisane dans une tasse blanche ornée de cigognes bleues. Elle me dit de m'asseoir et boit encore pendant que je soulève les jambes de mon pantalon pour ne pas laisser la trace de mes genoux osseux dans le tissu.

Je suis assis. Elle croise les mains, sur le bureau, me dévisage. Je ne sais pas ce que je suis venu faire ici. Et c'est précisément cette question qui sort de sa bouche.

« Qu'est-ce qui vous amène ? »

Je voudrais lui dire que je ne sais pas, je ne sais plus... Ce sont les autres. Pourquoi est-ce qu'ils ne viennent pas, les autres ? Pourquoi est-ce que c'est moi, toujours moi, qui dois faire ce qu'on dit ? Je voudrais bien parler à ce visage avide de confidences. J'entrouvre mes lèvres mais rien ne vient, pas même ma respiration.

« Vous ne savez pas ? »

Elle sourit. C'est une femme qui a l'air de tout comprendre, contrairement aux autres. Je voudrais coucher avec elle. Je suis sûr qu'elle comprendrait quand mon sexe refuse d'obéir. C'est une avaleuse de mots, une suceuse.

« À quoi pensez-vous ? »

Elle lit dans les pensées ! Je sens des picotements sur mon front, je fixe le bout de mes chaussures et je m'entends rire, très fort. Je ris parce que j'ai peur qu'elle devine ma réflexion.

Elle ne dit rien, écoute mon rire comme s'il lui parlait. J'arrête net. Elle regarde la peau que je suis occupé à arracher autour de mon ongle. Je fourre le doigt dans ma bouche. J'ai envie de me dévorer la main, le bras, jusqu'à l'épaule. Elle ne parle pas, assiste au spectacle. Je suis un cas intéressant. Elle m'intéresse, elle aussi. Et c'est ma voix que j'entends, tout à coup, assourdie par les murs capitonnés :

« Vous voulez que je vous mange les doigts ?

— Pourquoi est-ce que vous me mangeriez les doigts ? »

Je m'entends rire à nouveau. Elle fronce les sourcils comme si elle était fâchée. Ne vous fâchez pas, belle petite lune ! Souriez encore, je suis venu pour ça...

« C'est pour ça que je suis venu.

— Vous êtes venu pour me manger les doigts ?

— Non ! Non ! C'est pas pour ça, pas pour ça... »

Des larmes brûlent ma peau. Elle ne me comprend déjà plus... C'est fini, elle est comme toutes les autres, elle ne comprend pas. Je sanglote en m'agrippant au bord de son bureau froid en imitation de bois. Une goutte de sang autour de mon ongle. Elle me tend un papier mouchoir et j'éponge avec minutie.

« C'était pour que vous vous mouchiez », précise-t-elle.

Elle me tend un deuxième papier mouchoir, mais je le refuse parce que je ne me souviens plus pourquoi je pleurais.

« Pourquoi pleuriez-vous ? »

Je me sens coincé. Elle me harcèle de questions. C'est de la torture. Je me tourne vers la fenêtre, cherche à m'évader. En bas, je vois circuler des voitures et de petits personnages perdus, comme moi tout à l'heure cherchant l'adresse. Dehors, personne ne sait que derrière le mur recouvert de lierres hypocrites se cache une chambre de supplices. Quand quelqu'un demande où ça se trouve, tous répondent que c'est là, au coin...

« Vous êtes dans un tournant », dit-elle.

Le concert

Elle suit le mouvement des mains qui s'affolent sur le clavier, elle n'en revient pas, il respire là, sous ses yeux, dans le même pays, la même salle qu'elle, à la même heure. Elle souhaiterait qu'il marque un arrêt entre chaque note afin qu'elle puisse savourer l'instant dans la lenteur de son rythme à elle. Un soupir sur les feuilles de musique, un soupir comme ceux qu'elle découvrait dans ses premiers cours de solfège, à l'école. Oui, qu'il fasse un soupir entre chaque note.

Elle a l'habitude de fermer les yeux, pour mieux l'écouter, mais en sa présence elle n'ose pas, elle veut ne rien perdre de lui avec son costume foncé, sa chemise à jabot et ses chaussures lustrées comme les cheveux qu'elle voudrait pouvoir toucher.

Dans le fauteuil voisin, un vieillard développe une pastille, le cellophane se déplie lentement entre ses doigts. Elle se retient pour ne pas griffer, avec ses ongles frais peints, le visage plissé du spectateur presque aveugle et sûrement sourd pour ne pas entendre l'horrible froissement. Elle lui en veut pour ces notes dont il vient de la priver. La main inquiète de son amoureux sur sa jupe à plis tente de la calmer et c'est la musique qui l'emporte. Elle se sent bercée, apaisée.

Elle se lève la première pour l'ovation, propulsée, le cou tendu vers la scène où le musicien salue calmement, le bras replié sur sa poitrine. Elle a l'impression qu'il la voit entre tous lorsqu'il lève les yeux vers la salle. Ses applaudissements à elle se détachent des autres, plus serrés on dirait, et ils ne ralentissent qu'une fois seuls dans l'écho de la salle qui se vide au milieu des chuchotements. Son amoureux s'accroche à son bras qu'elle secoue aussitôt, si vivement qu'il l'abandonne, refusant de la suivre lorsqu'elle se met à marcher du côté opposé à la sortie.

Ses talons hauts sur le plancher de bois franc résonnent longuement avant qu'elle n'arrive face à ce jeune maigrichon qui se prend pour un garde du corps devant la porte des loges.

« Madame... dit-il.

— Je viens rejoindre Aldo », tranche-t-elle en levant le menton.

Le jeune homme s'écarte poliment en lui ouvrant. Seule, dans le petit passage qui mène aux loges, elle sent son cœur palpiter. Le creux de ses mains s'humidifie et des picotements sous les aisselles l'obligent à dresser ses longs ongles polis et à les glisser dans l'encolure de sa blouse. Ils rejoignent enfin la peau légèrement mouillée sous ses bras et grattent, grattent autant que cela se peut. Elle se tient comme une guenon au milieu du corridor étroit tandis qu'au-dessus d'elle, dans de vieux tuyaux rouillés, l'eau circule bruyamment.

Elle éponge ses doigts à la jupe marine qu'elle inspecte, par la même occasion, y détachant un fil blanc. Elle cherche à se rappeler s'il s'agit de chance avec le fil blanc, de malchance avec le noir, ou l'inverse. Le souvenir de cette super-stition est un peu vague, elle finit par décréter qu'il s'agira de chance. Elle se rapproche du refuge de l'artiste.

Le silence s'alourdit. Dans les tuyaux, l'eau s'est arrêtée de courir. Ses jointures contre le bois dur, elle est prête à frapper puis elle hésite. Il dira « Qui est-ce ? » et que répondra-t-elle ? La laissera-t-il entrer ? Comment faut-il s'y prendre ? Plus elle se questionne, moins elle sait et sa main s'éloigne lentement de la porte.

Ses ongles rejoignent sa bouche, unis par le rouge sang qu'on lui a recommandé au salon d'esthétique. Elle voudrait, comme à l'adolescence, les ronger, les déchirer entre ses dents. Elle reste là à se l'interdire, à languir sur le seuil d'un inconnu... Non, il ne s'agit pas d'un inconnu, elle le lui dira. À partir de ses enregistrements, elle a fini par le connaître par cœur, dans ses moindres hésitations, ses emportées... D'un geste décidé, elle tourne la poignée un peu froide et pousse, fonce droit devant elle.

Personne.

Elle ne voit que du blanc dans cette petite pièce lumi-neuse, chaude et intime à cause des odeurs fortes de transpiration mêlées à des parfums bien épicés. Sur une tablette blanche comme les murs, une gerbe d'iris de Florence a été déposée. Encore sous cellophane, enrubannés, ils se fane-ront, il fait trop chaud, tellement chaud dans cette pièce... Elle entend un froissement de tissu derrière le rideau qui bouge. Ce ne peut être que lui. Cette chaleur, ce blanc partout qui se met à tourner. Les picotements sous ses aisselles se propagent, elle en sent monter dans son cou, sur son visage... Elle s'effondre.

Ses jambes se sont écartées de façon très inélégante et son pied droit, en se tordant, est complètement sorti de sa chaussure. Elle gît sur le sol, inconsciente, le rouge vampirique des lèvres tranche sur sa peau trop blanche.

Une sensation de fraîcheur tout à coup sur son front, une goutte d'eau froide glisse lentement le long de son cou. Elle reprend ses esprits, barbouillée de rimmel, de grandes coulisses sur les joues.

Près d'elle le pianiste accroupi, le torse nu et les cheveux mouillés, continue de lui éponger le visage. Elle contemple les boucles de poils très noirs qui recouvrent sa poitrine, rétrécissent pour former une bande verticale au niveau du ventre, près du nombril, elle voudrait continuer le parcours de ce petit chemin sombre, mais une serviette de bain enroulée très serrée autour des hanches de l'homme l'en empêche. Elle soulève une main lâche en direction du torse. Moderato, les doigts du pianiste se posent sur son bras.

Elle détaille alors le visage du musicien, découvre la chair plutôt molle près du menton et, autour du nez, des points noirs installés dans des pores très ouverts. L'homme, visiblement mal à l'aise, jette sur elle des regards brefs et inquiets.

On frappe à la porte de la loge. Le pianiste se redresse, répondant par une courte phrase en italien. Devant le petit groupe qui s'avance en blaguant, il hausse les épaules, intimidé.

Silencieux, l'amoureux s'est faufilé en la cherchant, elle qui sur le sol n'ose plus ouvrir les yeux, ni sur lui ni sur le pianiste et son groupe de visiteurs. Il l'aperçoit, s'approche d'elle et s'agenouille.

« Rentrons », dit-il.

Ciel d'oranges

« C'était bon, déclare-t-il avec son accent hollandais. C'était bon, ces vacances avec toi... »

Sur la tête de Hanneke, la main de l'homme se déplace, ses doigts se prennent et se déprennent dans les cheveux fins de l'enfant qui n'aime pas l'imparfait. Johan ignore-t-il qu'il vient d'utiliser un verbe au passé ? Il ne maîtrise pas toujours le français comme il le voudrait mais, puisque sa fille n'a de hollandais que le prénom, il fait de son mieux en jonglant avec les mots de sa langue à elle.

« Tu veux dire que *c'est* bon, Johan...

— Tu as raison un peu, admet-il, le ciel est d'oranges encore, notre jour dernier n'est pas complètement fini... Mais demain le matin, tu sais... »

Les mains dans le sable, Hanneke émet un rire forcé en soulevant son corps. Une fois debout, elle regarde de haut son père encore assis face à la mer et elle secoue violemment son ensemble de coton fluo. Johan ferme les yeux à cause du sable qu'il reçoit.

« Toi, tu penses qu'il y a des oranges dans le ciel ! » lance-t-elle en tournant les talons.

Elle court, les pieds dans la mer, pleine de Monique dans sa façon de se mouvoir. Cela fait dix jours qu'il essaie de ne pas le remarquer. Il n'était jamais venu sur cette île, l'avait fait exprès pour aller vers une destination nouvelle, mais il peut bien se l'avouer, maintenant, à la toute fin des vacances, il peut bien se dire que chaque jour Hanneke lui a rappelé Monique lorsqu'ils étaient à l'île de Texel. Monique qui refusait d'envisager le départ, exactement comme leur petite Hanneke qui s'étourdit dans la mer.

Les verbes à l'imparfait, Johan les connaît plus que tous les autres, surtout avec les souvenirs que la présence de l'enfant attise. Et il se sent lui-même imparfait de n'avoir pas su...

« Tes vêtements mouillés maintenant », constate-t-il en la voyant revenir.

Elle reste là à dégouliner sur le sable devant lui. Ils se ressemblent tous les deux, dans cette expression de désarroi.

« Partons, avant qu'il tombe le soir, dit-il.

— Avant que les oranges deviennent noires, ajoute Hanneke. On va pas moisir ici !... »

Ils avancent tous les deux, laissant à la mer des empreintes à lécher au cours de la nuit.

Dans la chambre de l'auberge, il allume la lampe. Hanneke se précipite sur le petit sac de papier qu'elle a ramené, en sort le château des artisans du sable garni de coquillages.

« Tu crois qu'elle va l'aimer ? » demande-t-elle.

Il hésite à répondre puis, l'air distrait, il finit par dire que oui, ça ira.

Il ne sait tellement plus ce qu'elle aime, Monique, se demande ce qu'évoquera pour elle cet objet, sinon le fait que sa fille aura pensé à elle malgré lui.

Il écarte le rideau et voit la mer noircir, se confondre avec l'horizon. Il ne parle plus. Ne pense plus à parler. Dans le silence, Hanneke tourne les pages d'un livre sur le lit. Le temps pourrait s'arrêter ainsi, il n'y a plus d'utilité à étirer les heures lorsqu'elles précèdent le départ. L'enfant est déjà avec sa mère et Johan réapprend la solitude pour être prêt à l'affronter comme avant... Avant les vacances... Qu'est-ce qui devait venir après ?

Elle s'est endormie sur le livre ouvert. À la fenêtre, Johan écoute la mer qui se répète.

Hanneke a gémi en se retournant, recroquevillée. Il s'approche d'elle, retire le livre sous son bras alourdi. Assis au bord du lit, il l'observe longuement avant de mieux l'installer pour la nuit à traverser. Sa grande main glisse sur les couvertures un peu rêches, il palpe les petits morceaux durs et granuleux d'un château émietté.

La traversée

Les pétarades du moteur, la fumée noire sur fond bleu, le clapotis, tout cela le réjouissait. Avec les autres passagers du paquebot, il observait l'agitation des mains de plus en plus floues sur le quai. Puis il est venu me dire : « Tu restes, tu restes avec les bagages. » Ce n'était ni un ordre ni une question. Je suis restée sur le banc. Des marques commençaient à apparaître sur la peau de mes cuisses. Il a rejoint les autres voyageurs, a plié les coudes sur la rampe turquoise et s'est penché au-dessus de l'eau. J'ai ouvert mon livre de poche, je n'avais rien à faire, tout était prévisible entre le bleu, le blanc et le turquoise. Nous avions quitté le port.

J'ai dû recommencer trois fois le même paragraphe. Je ne me souvenais plus que le protagoniste avait changé de ville, si bien que les descriptions ne collaient à rien. J'avais l'impression que quelque chose m'avait échappé, je relisais et me retrouvais à buter encore au même endroit. Finalement, je suis retournée loin derrière, au moment où il prend un train dans une petite gare de province. Là, j'ai compris.

Je ne sais combien de temps j'ai pu lire ensuite puisque je venais de reprendre le fil et qu'il n'y avait donc plus rien pour me faire ressortir de cet univers. Au moment où mon regard a dû déborder de la page, j'ai surtout remarqué que les lattes de bois s'étaient littéralement incrustées dans mes cuisses. J'avais du mal à les décoller, c'était douloureux, la peau rougie par endroits. Je me suis levée et c'est à ce moment que je vous ai remarquée parmi les autres passagers. Vous m'avez souri.

Vous avez pointé les bagages disposés autour de moi et sous le banc, et m'avez fait signe de vous suivre. Je me suis demandé où il était passé, je l'ai cherché du regard, il ne se trouvait plus devant moi. Alors j'ai pensé que vous vouliez me conduire jusqu'à lui, j'ai soulevé deux sacs, vous avez hoché la tête et vous êtes penchée pour prendre ceux qui restaient. Nous avons marché assez longuement, compte tenu que ça tanguait sous nos pieds et qu'il était difficile de s'accrocher à quelque chose, chargées comme nous l'étions.

J'allais m'impatienter tellement le passage devenait étroit pour moi et mes deux sacs lorsque vous avez ouvert la porte de la cabine et m'avez fait entrer. J'ai été surprise de constater qu'il n'y avait personne à l'intérieur. Il n'était pas là. Cela m'a décontenancée, je me suis tournée vers vous. D'un geste bienveillant, vous m'avez fait signe de déposer les bagages et de m'installer.

Au lieu d'examiner ce nouvel espace, j'ai d'abord eu tendance à chercher une ouverture, j'ai aperçu le hublot par lequel je vois successivement apparaître et disparaître la mer. Vous vous êtes installée en face de moi, sur la banquette brune. Vous vous êtes assise dans la posture de quelqu'un qui entreprend quelque chose, une partie de cartes, un récit, je ne sais pas, mais vous aviez l'air décidé, c'est le moins qu'on puisse dire.

Tout est tellement sombre, dans cette pièce, je n'en reviens pas. Même vous avec votre fichu noir comme vos yeux, votre teint, votre chandail assorti, cette jupe marron sur laquelle vous avez laissé tomber vos mains brunes aux ongles noirs, et vos bas ravalés gris foncé, même vous... Mais vous riez et une touche de lumière apparaît grâce à votre canine dorée.

Vous ouvrez une main, vous en pointez la paume et regardez le ciel. C'est à une bohémienne que vous ressemblez, c'est flagrant en ce moment. Vous continuez de vous agiter, vous avancez le torse et venez saisir mes mains toutes blanches et menues entre les vôtres. Vous souhaitez en lire les lignes, mais comment me raconterez-vous ce que vous y découvrirez ? Vous grognez, vous émettez de petits cris comme une muette et tout cela parce que nous ne parlons pas la même langue. Mais je vous crois, vous réussirez à me communiquer tout ce que vous lisez déjà sur ma minuscule mappemonde de blanche.

Vous vous excitez, vous rayonnez tout à coup, me prédisez ce qu'il y a de plus merveilleux, je vous trouve généreuse, généreuse dans votre corps aussi, votre chair toute chaude contre laquelle a dû se blottir toute une marmaille en plus de votre mari.

Je ne vous écoute plus, vous demandez beaucoup trop d'attention avec vos onomatopées auxquelles j'acquiesce, étourdie. Je sens mon corps ballotté au même rythme que le vôtre, le vôtre tient le coup mais le mien n'en peut plus, je voudrais m'allonger sur cette banquette, je sens ma tête pivoter dans tous les sens, vous avez remarqué, vous la prenez entre vos mains, vous vous approchez, votre odeur devient de plus en plus envahissante, vous vous assoyez près de moi, tournez mon visage en direction opposée à votre ventre. Vos cuisses me servent maintenant d'oreiller, votre jupe, de taie. La mer continue d'aller et venir à travers le hublot. Je choisis de dormir pour ne pas défaillir.

Je rêve que je suis un grand poisson bleu, je valse sous l'eau à travers des algues fugitives, croise d'autres poissons, multicolores, qui semblent rire avec moi. Je suis réveillée par mon propre rire, votre main chatouille ma joue et vous riez aussi, les soubresauts de votre ventre mou sous mon nez. Vous sentez les épices.

Nous accosterons bientôt, je n'en peux plus d'espérer mettre le pied sur la terre ferme, votre terre à vous, je sais, vous m'y accueillez déjà.

Je me demande où il est, il me faut tout de même le rejoindre avant que nous atteignions ces bras de sable qui nous appellent au loin. Vous me regardez rêvasser devant le hublot, vous semblez amusée. Je gesticule, vous fais signe que je vais sortir de cette cabine, prendre l'air, je vous montre que je ne me sens pas tout à fait bien, vous faites « Aahhh !... », longuement, et vous venez me tamponner le front avec un papier à main imbibé d'eau. Vous faites le tour de mon visage, me mouillez aussi les lèvres, je deviens une enfant que l'on débarbouille. Spontanément, je vous embrasse et vous tapotez ma joue. Je vous aime.

Je sors et vous marchez derrière moi, ange gardien. Une fois sur le pont, je me laisse caresser par le vent devenu chaud, qui a même changé d'odeur. Surprise, je me tourne vers vous. Vous faites signe que oui, c'est aussi agréable que cela dans votre pays. Vous êtes fière de votre vent.

Je le cherche des yeux, ne le vois pas, je m'inquiète un peu. Vous me tirez le bras. Je ne sais pas si je dois vous suivre, où allez-vous encore m'entraîner ? Je n'ai plus le temps de me faire lire les lignes de la main. Vous insistez, nous nous retrouvons une fois de plus à l'intérieur, mais vous ne vous dirigez pas du côté des cabines. Vous me montrez le bar et vous vous éclipsez.

Je l'aperçois en train de prendre le thé à une petite table avec un homme de votre race. Il me fait signe d'approcher, de me joindre à eux. Il remarque que je suis pâle, m'embrasse sur le front et me présente à l'homme, un bel homme, qui parle prodigieusement bien le français. Je voudrais vous présenter aussi mais vous avez disparu et je me rends compte d'ailleurs que j'ignore votre nom.

Nous décidons de sortir sur le pont, ils vont bientôt fixer les amarres. Je vous aperçois, assise docilement sur le banc où nous nous sommes rencontrées. Vous êtes entourée des bagages auxquels je ne pensais plus beaucoup, vous les avez transportés toute seule jusqu'ici. L'homme vous adresse quelques mots qui sonnent dur dans votre langue commune. Je lui demande s'il vous connaît et il répond sèchement que vous êtes sa femme.

Au moment de descendre sur le quai, nous insistons pour transporter nous-mêmes nos bagages que vous portez en silence. Votre mari nous l'interdit, il attire plutôt notre attention sur l'architecture, les montagnes que nous pouvons distinguer tout autour. Je n'écoute pas beaucoup ce qu'il raconte, j'observe cette foule grouillante et colorée, j'y cherche des femmes, je vous cherche, vous, du coin des yeux, mais vous regardez droit devant, immuable.

Bleue nue

On ne sait pas tout à fait ce que les autres attendent en haut, en bas, devant ou derrière nous. On ne sait pas. Rose attend.

Devant elle, une Asiatique enceinte se cherche une posture sur la banquette lisse et mal inclinée. Le mari se démène, faisant galoper leur enfant aux cheveux noirs qui fredonne une chanson. Chinoise, vietnamienne, cambodgienne ? Rose ne sait pas.

Il fait très chaud, il n'y a pas d'air dans cette salle d'attente aux fenêtres fermées. Des ouvriers travaillent sur le mur extérieur de l'hôpital. Le bruit des outils recouvre celui des réclames à la radio.

L'Asiatique déplie un éventail qu'elle agite devant son visage en sueur. Près de la porte, une grande maigre en est à son troisième journal à potins. Elle lit en faisant de petits mouvements d'orteils dans ses sandales. Un nourrisson aux oreilles percées dort à ses côtés, grimaçant contre la poitrine de sa jeune mère.

Rose n'en revient pas, personne n'a été appelé depuis qu'elle est entrée dans cette salle. Elle se lève, se dirige vers la porte et sort, sous les yeux exorbités de la femme au journal.

Dans le corridor, un bénévole offre des boissons étalées sur un chariot aux roues tordues. Il invite les patientes à déposer de l'argent dans un chien de plâtre, style dessins animés américains, qui découvre ses crocs comme s'il riait. « Il rit de nos malheurs », pense Rose.

Elle entre dans le bureau d'un réceptionniste assailli de sonneries. Il répond aux appels en questionnant, répète des numéros et lève de temps en temps les yeux vers l'horloge. Elle réussit à l'interrompre :

« Mais qu'est-ce qu'ils font ?

— Ce ne sera pas long », glisse-t-il en reprenant un appel.

Elle ne se décide pas à quitter le bureau, se demandant jusqu'à quel point ces paroles s'adressaient à elle. Sa présence finit par peser sur lui. Il répète tout de même un nombre à plusieurs chiffres dans le combiné puis, à l'insatisfaite qui se trouve devant lui, il précise :

« Ils sont sortis pour le lunch...

— Ils mangent, bien sûr qu'ils mangent, aux heures où on nous demande d'être là !... » En colère, Rose s'éloigne du bureau, repasse devant le chariot aux boissons. Cette fois, les crocs du chien lui font un effet de miroir.

De retour dans la salle d'attente, elle longe les murs où sont épinglées des affiches de fruits et de légumes. Un peu à l'écart, une véritable toile. Elle sent le besoin de s'en approcher.

Dans des tons de bleu, un personnage assis sur un banc de parc, vu de dos dans une sorte de pénombre. Devant lui, un immense disque jaune, que l'on pourrait prendre pour une lune si ce n'était de toute la surface qu'elle occupe. Quelque chose d'heureux se dégage de cette masse de lumière. Rose aperçoit une inscription au bas du tableau : *Rose bleue nue frileuse attend*. Elle se tourne aussitôt vers les femmes en attente et elle les voit, nues sur des tables de gynécologie, jambes bleuies et pieds dans les étriers, grelottantes.

Un nom résonne dans le vieil intercom, difficile à saisir sous le bruit des travaux et le grésillement de la radio. Elle n'a pas entendu s'il s'agissait du sien, ne veut pas savoir. S'en aller.

Dans le corridor, elle s'approche de l'ascenseur tandis que des pas résonnent derrière elle. Au-dessus des portes fermées, les numéros rouges s'allument les uns après les autres. Elle entend encore ceux que le réceptionniste débite, dans la pièce à côté.

« Thé, café, jus... » énumère le bénévole.

Les portes de l'ascenseur s'ouvrent. Une civière et un fauteuil roulant, dans lequel un vieillard secoue la tête, empêchent Rose de prendre place. L'infirmier hausse les épaules, appuie sur un bouton et les portes se referment. Disparus.

Le bénévole insiste, attire de nouveau l'attention sur ses boissons diluées. Elle cherche aux alentours, reniflant comme une souris dans un labyrinthe, puis elle aperçoit le mot *escalier* sur une porte battante. Elle se précipite, elle descend, interminablement. Elle descend. Une odeur de peinture l'incite à ralentir, elle s'attend à trouver une affiche *Attention, peinture fraîche* quelque part sur le mur, près de la rampe. Rien.

Elle croit voir une femme, recroquevillée au pied de l'escalier, apposant sa signature au bas d'une toile semblable à celle de la salle d'attente. « Rose... » soufflerait-elle. Et Rose se raconte à elle-même :

« Rose bleue nue... »

De l'écho dans la cage d'escalier. Brusquement la porte s'ouvre en bas. Un agent de sécurité apparaît en grognant dans un petit appareil qu'il tient fermement.

Rose pense à ce rendez-vous qu'elle a pris il y a des lunes et qu'elle n'a pas intérêt à reporter. Il lui faut être sage, docile, comme toutes ces femmes qui continuent d'attendre. Elle avance lentement dans le corridor, passe devant le bureau du réceptionniste qui lui fait des signes en récitant ses chiffres au téléphone. Elle s'approche de lui.

« Cubicule numéro huit, ordonne-t-il. Vous êtes attendue.

— Je suis attendue... »

Occupé à verser du café dans un verre de polystyrène, le bénévole amorce un sourire. Elle ne lui dit pas qu'elle aurait envie d'un sandwich. Elle cherche le cubicule numéro huit, croise la très maigre au journal à potins qui sort abattue du numéro trois.

À peine entrée, Rose reçoit un drap blanc d'une femme à la voix pressante qui lui demande de se dévêtir et de s'allonger, en attendant. Elle obéit, entend la porte se refermer derrière elle.

Power

À travers les vitres sales, au soleil, des oiseaux sautillent dans l'arbre à bourgeons. Un peu collée, la fenêtre résiste, grince et je gagne : l'odeur du printemps envahit la pièce. J'entends des voix d'enfants, dans la ruelle, proches comme si j'avais monté le volume.

« T'as jamais vu ça, toi, une cabane à sucre... Y en avait même pas dans ton pays !

— Toi, c'est ben pire, t'as jamais vu la guerre !

— Oui je l'ai vue ! Y avait plein de *scuds* dans le ciel, ça faisait des feux d'artifice comme à La Ronde. Dans les écoles, c'était *cool*, i pouvaient se déguiser avec des masques à gaz pis des grandes combinaisons ! Les avions, i avaient des têtes de requins avec des dents. Pis du sang, en tout cas j'en n'ai pas vu autant que dans *Rambo* à cause qu'avec les laser i pouvaient viser juste...

— Je l'savais... T'as jamais vu ça, la guerre !

— Oui je l'ai vue !

— Non.

— Oui, demande à mon père ! »

Je ferme la fenêtre. Je tire le store. Immobile dans la pièce assombrie, je fixe l'écran noir d'un appareil silencieux. J'avance en tendant le bras.

L'œil de verre

Trois... deux... un... Mon index sur un bouton qu'on appelle « Power ».

Casse-gueule

Détachées de la gencive, mes dents s'entrechoquent comme des bonbons. J'ai peur de les avaler avec le sang. « Tu vas en manger une ! » a dit la voix. Et voilà que je croque mes propres dents. Mes mâchoires tremblent comme la silhouette, tout à l'heure, dans le noir.

« J't'ai-tu faite mal ? »

Je comprends, pour la première fois de ma vie, la véritable impossibilité de parler la bouche pleine. Ses gros doigts s'enfoncent dans mes joues. Il m'entrouvre la bouche, fouille avec ses doigts salés. L'impression qu'il cherche les abats à l'intérieur d'une dinde congelée.

« J't'ai pas manquée, ma poulette ! »

Il tire de sa poche un vieux mouchoir à carreaux. Je crois voir celui de mon grand-père. Lorsqu'il l'approche de mon visage, sous le lampadaire, je note que le tissu est déjà taché de sang.

Je pince les lèvres.

« Enwèye, crache ! »

C'est fermé, c'est fermé, que je me répète. Je n'ouvre pas la bouche. Il secoue la tête et n'insiste plus, fourre le mouchoir dans la poche de son pantalon.

Sur le mur contre lequel je reste adossée, mon index suit les sillons granuleux entre les briques. Je répète les trajectoires, de plus en plus rapidement. J'ai déjà vu une fourmi qui s'affolait dans les quadrilatères d'un mur briqueté.

Je me suis faite à cette respiration bruyante. Je croyais qu'il s'agissait encore de la sienne, mais non... C'est moi, le thorax qui se gonfle et se dégonfle rapidement, la respiration malade. Cela me rappelle encore mon grand-père qu'une machine faisait respirer dans sa chambre d'hôpital. Lui aussi suivait des trajectoires, mais dans le creux de ma main tendue.

« Coudon, tu vas-tu mourir ? »

Une tape qui claque sur la manche de mon manteau de cuir. Je n'ai même pas cligné des yeux, occupée à fixer un graffiti sur le mur d'en face éclairé par le lampadaire. Il regarde derrière lui, craignant la présence de quelqu'un. Rassuré, il lit à voix haute : « Ke-tching Ke-tchong... » Il esquisse un sourire mais on voit que son visage n'a pas souvent ri. Une sorte de crispation, une résistance, près du menton. Il va finir ses jours comme le voisin de chambre de mon grand-père, qui est mort en sacrant. L'infirmière a dit : « On meurt comme on a vécu... »

« Vas-tu dire queq'chose, s'tie ? »

Les phares d'une auto le troublent. Il se blottit contre moi, le temps qu'elle passe. Je me suis sentie plus forte que lui. De la vitre entrouverte du chauffeur, une bribe de la chanson qui joue à la radio : *Entre ta peau et la mienne, je choisis les deux...* Il fredonne dans mon cou tandis que le véhicule s'éloigne avec la voix limpide de la chanteuse. Il ne reste plus que son haleine à lui. Je détourne la tête, lentement.

Il s'écarte, m'examine de haut en bas.

« Dis-moé jusse que t'es carrecte, o.k., pis m'as m'en aller. »

Mon grand-père a longtemps répété : « Quand m'as m'en aller... » Son voisin de chambre est parti d'abord. Grand-papa a commencé à attendre son tour, à prendre sa chambre d'hôpital pour une salle d'attente. D'ailleurs, un à un, ses enfants sont venus y lire des magazines pendant qu'il avait l'air de dormir.

« Si jamais t'as queq'chose, après, tu vas l'dire à 'police... tu m'as vu astheure... tu vas m'dénoncer... C'est pas toé que j'attendais, mais crisse que tu d'y r'ssembles ! »

Mon grand-père, c'est aujourd'hui qu'il s'est en allé. J'ai eu besoin de prendre l'air. Dans la fraîcheur de la nuit, je me suis répété qu'on mourait trop mal dans les hôpitaux. Mon grand-père, il ne méritait pas ça...

Je balbutie, la bouche pleine de dents : « Mmméritait pas ça !... » et l'homme met son poing devant sa bouche en me regardant vomir.

Mire

Les boucles d'oreilles

Elle écrit des cartes postales à la terrasse du café où il se trouve, lui aussi, souvent le matin, toujours à la même place, à l'endroit le plus stable sur le sol abîmé.

D'habitude, il examine la démarche des passants sur le trottoir, il observe rarement les gens qui, comme lui, s'attablent pour le premier café de la journée, la première cigarette. Il aime plutôt voir bouger ceux qui s'agitent dans la rue, n'apprécie pas l'immobilité des autres. Il s'occupe très peu de moi d'ailleurs, quand je lis mon journal à ses côtés, avant qu'on ne se sépare pour la journée.

Il la regarde, elle, je ne sais pas ce qu'il lui trouve et je m'en fous. Je bois mon nectar d'abricot en tournant les pages du journal. En fait, je crois deviner qu'il admire ses boucles d'oreilles. Il a d'abord jeté un œil sur mes lobes, toujours intacts puisque j'ai horreur des aiguilles. Je n'ai jamais succombé à l'idée de les faire percer. Trois fois, pourtant, un Noël et deux anniversaires, il m'a offert des boucles en disant qu'il ne se souvenait plus si... Tant pis, j'ai fait convertir une paire de girandoles à papillons en clips. Pour ce qui est des deux autres paires, pas question. Les clips finissent par transpercer la peau aussi, c'est complètement ridicule.

Tout à l'heure, il a donc considéré mes propres oreilles avant de retourner à celles de la fille, sûrement une touriste, installée à la table bancale devant nous. J'ai remarqué qu'elle portait des pendeloques assez extravagantes, avec de fausses pierres qui ressemblent à de la gelée. Des rouges, des jaunes et des mauves, toutes assemblées sur de grandes galettes argent. Elles brillent à chaque oreille, évoquant des saveurs de fraise, de citron et de raisin.

Il lèche sa lèvre supérieure, n'en peut plus de voir scintiller les appétissantes pierres fausses de la touriste, j'en suis sûre.

Elle mordille le bout de son stylo décoré d'étoiles multicolores, elle cherche des mots à écrire, je me demande dans quelle langue elle pense. Pendant qu'elle fouille dans son vocabulaire, ses yeux glissent sur les titres de mon journal et, à voir son expression invariable, je crois qu'elle ne lit pas vraiment le français, sinon son visage aurait réagi aux grands titres sur les bombardements d'hier. Au fond, je ne sais pas. Et je m'en fous.

Il prend une gorgée de café sans baisser les yeux pour pouvoir continuer à la fixer au-dessus de la tasse. Il fait toujours du bruit en buvant des boissons chaudes, mais il est mignon, surtout le matin. Je n'ai jamais vu un homme aimer les endroits publics comme lui. Dès le début, c'était clair pour moi, je le voyais écrire dans les bars, lire dans les parcs et draguer dans les discothèques. Aussi, je n'ai pas été surprise que nous fassions l'amour dans les terrains de stationnement. Je me rappelle avoir dû insister pour que nous arrêtions chez moi après, il fallait que je rentre. Peu à peu, nous avons passé plus de temps à la maison. On s'est entendus pour les nuits, mais alors le matin, c'est sacré : dans les cafés !

Finalement, je crois que j'aurais du mal à me priver des miroirs de toilettes publiques, à présent, lorsqu'il s'agit de me préparer pour le travail. Au fond, c'est tout à fait l'homme qu'il me faut. Chaque fois que je me dis cela, il faut que je l'embrasse, derrière la nuque. Je n'aime pas qu'il me repousse :

« Pourquoi est-ce que tu me chasses comme une mouche ? »

Je crois qu'il n'a pas dû se rendre compte de son geste. Et c'est ça, l'amour. D'abord, c'est une question de synchronisation, il faut avoir envie, en même temps, d'aller au terrain de stationnement. Puis, c'est l'adaptation. Je me suis mise à passer de plus en plus de temps à l'extérieur tandis que, de son côté, il a appris à en passer davantage à la maison. Ensuite vient la fusion : on se sent tellement unis qu'on ne voit plus ce qui est soi et ce qui est l'autre. J'en conclus qu'il vient de me repousser comme on se tape sur la main, soi-même, quand on vient de dire une connerie. Il ne se rendait pas compte qu'il s'agissait de moi, celle qu'il aime. C'est ce que j'appelle la fusion, la confusion, qu'il ne sache plus s'il s'agit de lui ou de moi. Il ne regardait pas la fille non plus, pas plus que moi. Il était à surveiller le serveur. D'ailleurs, c'est vrai puisqu'il lui demande maintenant un extra de gelée à la fraise avec son pain grillé.

C'est un homme qui apprécie les belles choses. Après tout, ce ne sont peut-être pas de fausses pierres qui bougent aux oreilles de cette touriste. En tout cas, elle semble souffrir de ses lobes irrités, ou alors le fait de les palper lui donne l'inspiration nécessaire pour écrire ses cartes postales. Je ne sais pas mais, voilà, elle retire ses pendants d'oreilles en grimaçant. Elle ouvre son paquet de cigarettes presque vide, y range ses deux pendants, referme le rabat de carton et repousse le paquet sur la table qui tremble.

Il a beau frotter, insister longuement avec sa serviette de table sur le menton, il reste toujours des miettes qui se logent autour de ses lèvres crevassées. Ce matin, il n'est pas d'humeur à ce que j'enlève les petits morceaux collés au coin de sa bouche. Tant pis.

La touriste appuie fortement sur son stylo au bas de la carte postale. S'agirait-il du point final ? Elle fait glisser un timbre au bout de sa langue, le colle sur sa dernière carte. Elle fait de même pour les autres avant de les enfouir dans son grand sac, en même temps que son carnet d'adresses.

Il passe la main sur ma cuisse en signe d'affection, je sais qu'il va partir. Il se lève et lance quelques dollars sur notre table. « Ciao ! »

La touriste est debout, elle fouille dans son sac, en sort un joli porte-monnaie rouge. Elle essaie de démêler les pièces d'ici, auxquelles elle semble ne rien comprendre.

Je savais bien qu'il ne la regarderait pas au moment de partir. Il se dirige les yeux baissés en passant près d'elle et, d'un coup d'œil furtif, il vise le paquet de cigarettes sur la table, l'attrape et le glisse rapidement dans sa poche. Je me dis parfois que l'amour, c'est savoir deviner l'autre.

L'œil mémoire

Depuis le temps que nous sommes amies, toutes les deux, je n'ai jamais hésité à plonger dans ton regard mais aujourd'hui, même si tu me demandes de lever les yeux vers toi, je cherche à éviter ton œil de verre.

Tes jambes et tes bras longs, pâles été comme hiver, ton cou mince et ta tête mobile, tes oreilles que tu as longtemps cachées à l'adolescence et que nous avons redécouvertes avec tes vingt ans lorsque tu as décidé qu'elles n'étaient pas si décollées que ça... Ta mère disait qu'il y avait un homme derrière cette histoire, un homme qui avait soulevé ta chevelure en disant que tu étais belle. Et tu l'étais, ne le savais-tu pas avant? Bien sûr, Gérard t'embellissait et toi aussi tu avais fait en sorte que son corps retenu commence à s'ouvrir à tes côtés. On le disait, vous étiez beaux ensemble. Tu gardes encore une photo de vous deux, je la détaille secrètement sur le mur derrière toi pendant que tu bouges, prends toutes sortes de positions sur le sol.

Ta coiffure met bien ton visage en évidence, tes quelques rides plutôt rieuses. Vêtements superflus sur ton corps libre, souple et harmonieux bien qu'il soit longtemps resté brisé après l'accident.

Je pense à cette nuit d'hiver où tu m'avais téléphoné de l'hôpital. J'écoutais les mots se bousculer dans le passage rétréci de ta gorge, j'imaginais tes lèvres crispées, ta peau très blanche, j'avais peine à te croire... Je me sens troublée par ce souvenir. Tu me dis que c'est très bien, tu ajoutes « Là, c'est tout à fait toi ».

Je te regarde bouger, tu souris, c'est presque indécent. Tu as finalement réussi à continuer ta vie sans Gérard et pourtant, cette nuit-là, le souffle interrompu, le temps arrêté pour toujours. Peut-être poursuit-il sa vie quelque part à l'intérieur de toi... Je t'envie.

Tu m'as invitée à entrer dans ton studio lumineux, notre rencontre était prévue depuis un moment et tu m'attendais avec excitation. Tu m'as dit de me mettre à l'aise, ce que j'ai fait, mais malgré tout j'ai l'impression que c'est toi la plus à l'aise des deux. Je te le fais remarquer mais tu rétorques que non.

Un parfum de bonheur dans ton espace, je me demande comment tu fais. Tu as repris tes activités, ta profession, mais ce souvenir me hante chaque fois que je te revois. Je me mets peut-être trop à ta place. Ce cauchemar, visiblement, ne t'accompagne plus comme avant. Il a bien fallu que tu t'en défasses pour arriver à survivre. Ton œil noir se rapproche de moi, l'impression de le voir tourner, légèrement. Tu ressembles à un insecte. Mon corps se raidit.

« Depuis le temps que je te connais, me dis-tu enfin, c'est exactement comme ça que je te perçois. »

Tu réussis toujours à ce qu'on plonge le regard dans ton œil de verre, je n'y échappe pas, j'entends le déclic de l'appareil-photo et tu dis « Voilà, ce sera prêt dans quelques jours ».

Sans histoire

Il a ouvert la fenêtre.

Pour la troisième fois, la feuille de papier s'envole, atterrit ailleurs. Lucien, avec entêtement, la replace sur son bureau. Il se rassoit.

À la porte, au téléphone, personne pour prononcer un mot, alimenter le récit de Lucien. Il n'existe pas encore d'histoire sur la feuille. Dans la corbeille, entre la fenêtre et le bureau, les pages se sont pourtant accumulées, mais en vain.

À vrai dire, Lucien apparaît lui-même comme un être sans histoire. Il vit dans le demi-sous-sol d'une maison ayant appartenu à ses parents avant d'être vendue à la petite famille qui, depuis, sans scrupule, lui marche au-dessus de la tête. Il se lève tôt, se rend à la poste pour y trouver le courrier qu'il doit distribuer par la suite, de porte en porte, hiver comme été. Le reste de la journée, il écrit.

Aujourd'hui, contrairement à ses habitudes, il ne s'est pas rendu au travail. Il a téléphoné, inventant un malaise tellement banal qu'il n'aura à fournir aucune explication supplémentaire. Demain, il dira qu'il va mieux.

Lucien parle peu à son entourage, il juge que ce n'est pas nécessaire. Il s'exprime par écrit.

Il manipule nerveusement ses feuilles encore vierges, songe à sa vie sans histoire. Il se coupe avec le papier. Il examine son doigt, appuie sur la peau pour que surgisse le sang. Secoué par un frisson inattendu, il s'empare du crayon qu'il a lui-même aligné avec les autres, sur le bureau.

Après quelques instants, prenant conscience qu'il fixe toujours la page blanche et qu'il mordille l'extrémité de son crayon, Lucien se lève, s'appuie contre le rebord de la fenêtre afin d'observer le tressaillement des feuilles d'automne sur le gazon fatigué.

Il aperçoit un chat noir désabusé qui, d'une patte un peu molle, remue une feuille séchée. La bête traîne encore, tournant un œil et une oreille vers la fenêtre de Lucien.

Derrière l'animal, d'une démarche vive, la petite voisine d'en haut s'apprête à se lancer, tête première, dans un amas de feuilles mortes. Elle les a soigneusement entassées hier, avant d'être arrachée à son jeu par sa mère qui lui ordonnait d'aller souper. Lucien éprouve un certain plaisir à revoir les nattes blondes se mêler aux feuilles rousses.

Doucement, il interpelle la fillette qui s'approche de la fenêtre en souriant, une feuille d'érable encore accrochée à sa chevelure. Lucien sort la main pour tenter de la lui ôter. La fillette rit mais lui, pas.

Il cherche à saisir sa tête mais comme elle bouge et qu'il n'y arrive pas, de son demi-sous-sol, c'est à son bras qu'il s'agrippe. Il tire et l'enfant se débat. Et plus elle se débat, plus il tire. Les rires de l'enfant se transforment en cris. Lucien ne voudrait pas qu'on les entende alors il entraîne tout le corps de la gamine vers l'intérieur. Il pose une main sur la bouche qui hurle et, avec l'autre, il ferme la fenêtre. Il est surpris par les grands yeux effrayés de l'enfant et c'est tout ce qu'il voit de ce visage, à cause de sa main à lui, poilue, sur la bouche de la fillette. Il est le loup et elle... le chaperon. Rouge. Encore ce sang bien rouge. La sueur sur le front de Lucien. Le chaud et le froid se disputent sur sa peau.

Couchée sur le dos, l'enfant fixe l'homme avec un regard insupportable. Elle bat des jambes, ses petites chaussures tambourinent sur un matelas qui n'émet que des bruits sourds, feutrés. Lucien lève les yeux au ciel mais ce n'est pas pour implorer les saints. Il écoute seulement les pas de la mère qui s'agite là-haut, court d'une fenêtre à l'autre, à la recherche de sa fille. Il entend claquer la porte de la maison.

Dans l'herbe, le chat fait sa toilette. Lucien, à sa table de travail, écrit. Il s'est trouvé une histoire pendant qu'une petite fille jouait dans les feuilles mortes.

Bavarde

Je ne peux pas vous dire. Je ne peux pas vous dire ce que cela me fait. Vous insistez, vous exigez des mots mais je n'en ai pas. J'ai appris à ne pas en avoir, cela vaut toujours mieux, vous savez.

Vous pouvez faire ce que vous voulez, je suis venue pour cela, mais ne me demandez pas de dire, de nommer. Je ne suis pas une machine à mots. Je ne suis pas une distributrice, oui, une distributrice : vous insérez des pièces et vous recevez des mots. Vous croyez que vous m'en fournissez beaucoup, des pièces et des dollars surtout, vous pensez que je peux bien faire cela, mais je ne le fais pas monsieur. Je peux gémir si vous voulez, je peux laisser échapper de petits cris au moment précis où vous le souhaitez, je peux grogner comme une bête, mais si cela ne vous suffit pas...

Vous laissez tomber vos bras le long de votre corps, vous soupirez, vous cherchez autour de vous, vous implorez vos quatre murs mais rien ne vous répond. Vous questionnez mes yeux qui vous laissent également sans réponse, vous déclarez qu'ils sont sans expression, mes yeux, que je les maquille trop. Moi, je vous dirais qu'ils sont simplement muets.

Vous vous avancez près de la fenêtre. Vous avez l'air si désespéré que je me demande si vous n'allez pas l'ouvrir et

97

vous jeter en bas. Vous l'ouvrez. Vous respirez et votre visage s'adoucit. Vous reculez un peu, vous semblez avoir une idée. Délicatement, oui c'est cela, délicatement comme cela existe peu dans le monde, vous refermez les battants. Vous examinez l'objet posé sur un socle à gauche de la fenêtre. On dirait une femme nue et peut-être qu'elle vous fait bander. Vous m'appelez.

J'avance lentement, d'une démarche féline, je suis certaine que vous adorez les chats. Vous prenez ma main et vous appuyez ma paume contre une courbe de l'objet qui, de près, n'a rien à voir avec un corps nu. Alors je ne comprends pas très bien. S'agit-il d'un sexe un peu distordu? Vous me demandez de fermer les yeux et de palper.

Je glisse ma main le long de l'objet et, en plaquant mon ventre sur le socle, j'écarte légèrement les jambes. Je soulève mon pubis en direction de la chose un peu difforme et j'émets de petits soupirs discrets comme vous devez les aimer.

Non. Vous dites non. Vous me repoussez loin de l'objet et me traitez d'idiote. Je me tais mais je sais que je ne suis pas aussi idiote que vous le pensez. Je sais aussi que je ne suis pas idiote du tout mais que vous, monsieur, êtes de ces détraqués qui... Vous me demandez pardon. J'ai bien fait de me taire. Grâce à mon silence, vous êtes allé jusqu'à vous excuser de vous-même.

Je ne dis jamais *vous* aux hommes. Même aux plus cravatés, même aux policiers, je ne dis jamais *vous* parce qu'ils sont tous un peu les mêmes. Mais vous, monsieur, vous avez quelque chose de respectable qui fait qu'au fond de moi je vous vouvoie. C'est rare, vous savez.

Je voudrais bien vous aider mais je ne sais pas encore très bien ce que vous voulez. Vous désignez l'objet de tout à l'heure sur son socle et vous me demandez d'en dire quelque chose, ne serait-ce que si c'est beau ou laid, pour commencer. Vous savez, moi, ce qui est beau ou laid... Si je le pouvais, je dirais que c'est bien relatif. La beauté ou la laideur, cela me fait rire. Et je ris, je tourne la tête au ralenti en faisant valser ma chevelure. D'habitude, ce mouvement excite les hommes. Je ne peux plus m'arrêter de rire mais j'ai oublié pourquoi. Vous notez que mes yeux ne rient pas avec ma bouche. Cela vous attriste.

Vous marchez dans la pièce en examinant votre plancher barbouillé. Je ne sais pas ce que vous mijotez maintenant. Vous ouvrez un placard. Ah, alors là je connais, je suis une spécialiste. Vous avez besoin d'obscurité, voilà tout. Mon pauvre monsieur, il fallait me le signifier plus tôt.

Je vous suis. Vous avez un grand placard comme on en voit peu. J'entre avec vous, referme la porte derrière moi, je crois que vous aimez l'intimité. Vous faites le surpris. Je deviens plus envahissante, je me colle contre vous mais vos bras s'agitent comme si vous vouliez vous cramponner à quelque chose. Vous cherchez la position, sans aucun doute. J'ai l'habitude, vous verrez. Restez calme... Bon. Votre main a trouvé quelque chose où vous agripper. Vous tirez. Une simple ficelle et la lumière surgit, aveuglante. Mais qu'est-ce qui vous prend ? Vous vouliez de l'obscurité, oui ou non ?

Vous me faites signe de sortir de là. Vous grimacez à cause de la lumière ou alors... vous ai-je fait mal ?

Vous ressortez les bras chargés et, dans la pièce, vous étalez des cadres autour de nous. Vous allez me demander de les détailler. Cela commence à bien faire. Vos toiles, c'est dommage, mais j'ai décidé de ne pas les voir. Vous scrutez mon visage mais vous avez compris mon refus. Vous prétendez que je préfère la sculpture à la peinture, que c'est très clair, mais qu'il faudrait quand même que j'en dise quelque chose puisque vous ne savez absolument pas les commenter vous-même. Pour les créer, ce n'est jamais un problème, racontez-vous, mais pour les décrire, c'est tout à fait autre chose. Vous ajoutez que vous ne les montrez à personne, jamais. Jamais ? Je suis privilégiée. J'ai failli dire quelque chose comme : « Je me demande, monsieur, pourquoi vous tenez absolument à mettre des mots sur tout cela. » Mais je me suis tue. J'ai jeté un coup d'œil à ma montre.

Vous soupirez en glissant la main dans votre poche puis, en me tendant l'argent, vous marmonnez quelque chose que je ne comprends pas bien. Vous avez l'air un peu fâché.

La prochaine fois, monsieur, demandez-la bavarde.

Jardin secret

Un clochard s'appuie contre la vitrine d'un fleuriste. Ses couleurs sombres plaquées sur des lys Casa Blanca. Je me suis arrêtée, j'ai pensé: « Des fleurs... »

Je choisis des freesias pour éveiller les sens, prouver qu'ils existent encore, qu'ils subsistent.

« Pour quelle occasion ?

— Il faut que ce soit gai. »

Les mains fanées de la fleuriste, soigneusement, enrubannent de soie tricolore le cellophane plissé qu'elle enroule dans un papier journal. « Pour ne pas qu'elles prennent froid », précise-t-elle avec la voix d'une mère qui parlerait de ses filles. Elle recouvre le tout d'un papier plus fin aux teintes de pastel qu'elle plie de façon élégante. Elle me tend le paquet, délicatement.

Je me rends à pied, les fleurs serrées contre moi dans la rue trop grande. J'aurais dû m'envelopper aussi, chaudement. La tristesse rend frileux et ce n'est pas encore le printemps, l'hiver est long.

Des grandes portes vitrées, qu'on aurait dû concevoir moins lourdes pour les corps si vulnérables qui les franchissent, sort un homme âgé au visage défait. J'entre.

Je traverse une série de couloirs en essayant de serrer moins fort l'emballage de fleurs dans mes mains déjà moites. Je sais maintenant me diriger sans réfléchir mais, toujours, je me ressaisis une fois tout près de la chambre. La peur qu'il n'y soit plus. Il serait parti sans rien dire, je chuchoterais : « Ça y est... »

Sa respiration pénible me rassure. Je relâche les épaules.

J'aperçois les soubresauts de son corps chétif, plongé dans un sommeil agité, minuscule au fond de la chambre jaunie. J'épie ses mouvements d'animal fragile et apeuré. Je ne voudrais pas qu'il me voie le regarder. J'écoute s'enchaîner ses petits cris ensommeillés, des pleurs peut-être, une lutte très certainement. De longs pourparlers avec la maladie. Ou avec la mort.

Près du lit, son plateau repoussé, à peine entamé. Est-il possible de se nourrir encore quand la tristesse prend à la gorge, de mastiquer le fade sans penser que plus jamais on ne connaîtra la saveur du basilic frais ou de la cardamome ? Sous le plateau, un bout de journal, section des livres.

Il se réveille, l'air ébloui, m'aperçoit tout de suite. Je ne vois que des yeux immenses, qui ne sont pas tout à fait les siens, dominer le visage squelettique qu'il a longtemps appréhendé.

« Ah, il faut que je te montre ! me déclare-t-il d'une voix très faible mais décidée.

— Oui... »

Graduellement son sourire s'efface, la déception se mêle à l'accablement sur son masque blême.

« Non, je ne pourrai pas », avoue-t-il.

Je ne sais pas si je dois insister. J'ai peur qu'il ait déjà oublié ce qu'il voulait me montrer, je crains de l'obliger à reconnaître que sa mémoire a des failles, de plus en plus de failles... J'ai tout à coup le souvenir de nos nombreux échanges littéraires, je revois défiler des textes, une foule d'histoires tristes ou comiques, mais toujours émouvantes, qu'il sortait de sa poche ou d'un sac aux couleurs joyeuses. « Il faut que je te montre ! » lançait-il en riant, émoustillé par le fait de partager la dernière version d'une nouvelle.

« Je ne pourrai pas », répète-t-il.

J'ai peur aussi qu'il veuille m'indiquer une plaie sur ce corps que la maladie dévore un peu plus chaque jour. Je vais sans doute défaillir, il fait chaud ici, il faudrait aérer cette chambre.

« Ce n'est pas possible. »

Peut-être tient-il à me présenter quelque chose hors de sa portée, je n'aurais qu'à ouvrir un tiroir, pour lui, ou à chercher dans la penderie...

« Tu ne peux vraiment pas me montrer », dis-je enfin.

Un haussement d'épaules, les os de sa clavicule viennent de se mouvoir, je crois voir un de ces esclaves décharnés qui portent des poids avec une tige appuyée contre un dos maigre et meurtri.

« Je voulais te montrer, explique-t-il, une image... »

Je m'approche du lit. Il poursuit, en se désolant :

« Une image dans ma tête. »

Je me désespère, comme lui, d'avoir partagé tant d'images, de toutes les couleurs, de tous les pays, tant d'images de différents univers que nous nous amusions à décrire de notre mieux, tous les deux penchés au-dessus du papier où nos deux plumes s'agitaient. Impossible maintenant de partager l'image qui se cache dans sa tête. Il renifle, le nez tourné vers mon paquet encore enveloppé, ses narines palpitent et son visage s'éclaire : « Des freesias... » chuchote-t-il.

Savoir trancher

Il a dit : « Il faut que je tranche... » Elle a répondu oui. Ce n'est pas sa tâche à elle de trancher. Il jette un œil sur ses jambes, elle est assise face à lui, dans le fauteuil de cuir, elle sourit poliment, se tient droite avec son bloc-notes barbouillé de chiffres.

En l'apercevant, ce matin, avec ses collants de couleur et sa jupe de cuir, il a échappé un « Ah... » avec du brillant dans les yeux puis il a ajouté : « Tu es venue en jambes !... » C'était pour rire. Alors, comme d'habitude, avec des gestes vifs, elle est allée déposer son sac à main dans un tiroir et s'est installée au bureau pour prendre les messages laissés au répondeur après la fermeture.

Il faut qu'il tranche maintenant. Il réfléchit encore en parcourant ses jambes. Elle n'a pas l'habitude de les exposer ainsi, tout l'hiver elle a porté des pantalons, quelquefois des fuseaux, ce qu'il semblait apprécier, silencieux, la regardant photocopier des documents. À cause du temps doux et des teintes printanières qu'elle remarque depuis un moment dans les vitrines, elle a décidé de jouer avec les couleurs, a ressorti une jupe, un blouson léger et les collants. Elle n'a pas pensé, ne s'était jamais fait la réflexion avant, c'est la première fois qu'elle imagine son patron comme un inconnu au volant d'une voiture sur une petite route où elle ferait du stop. Peut-être, pense-t-elle, peut-être que je ne monterais pas.

Il insisterait sûrement, elle l'imagine bien, avec son teint rougeaud et ses petits yeux de renard, il dirait « Viens ! » Cette image la trouble, elle pâlit, vulnérable tout à coup dans le grand fauteuil qu'elle fait pivoter pour changer ses jambes de position, pour déplacer le regard qui ne les quitte pas.

« Viens, on va regarder ça ! » dit-il.

Elle lui tend le bloc-notes. Il refait les calculs, lance des chiffres qu'elle n'écoute pas.

Il cherche à accrocher son regard en lui redonnant les gribouillis. Elle baisse les yeux, ne va tout de même pas déposer les comptes sur sa jupe, il lui examinerait les cuisses, faut pas faire exprès. Embêtée, elle tient les évaluations dans sa main gauche tandis que la droite s'agrippe à l'accoudoir. Elle serait prête à ouvrir la portière, si elle était montée avec lui, en auto.

« Je vais trop vite ? » demande-t-il.

C'est vrai qu'elle n'a pas retenu les derniers chiffres. Va-t-il trop vite ? Elle imagine le pied de l'homme d'affaires sur l'accélérateur, le mouvement de ses mains qui, brusquement, feraient tourner le volant vers un petit chemin de coupe de bois.

« Arrêtez ! » supplie-t-elle.

— Tu as raison, il faut que je tranche de toute façon, ça sert à rien de calculer indéfiniment. »

La autobús

Un pied bat la mesure d'un rythme latin. Sur le banc qui tremble, le passager fait sautiller sa jambe nerveuse et croque des Doritos en regardant au loin. Ils regardent tous au loin, ceux qui viennent de loin... « Qu'ils retournent donc là d'où ils viennent », chuchote une vieille en cherchant l'approbation des passagers muets autour d'elle.

Sur la neige sale, le long du boulevard, le soir tombe de plus en plus tôt. Son teint ressemble à tout ça, c'est l'image qu'on lui renvoie à l'usine quand il travaille en silence, se rappelant les paysages terreux, sauvages, dans lesquels on aurait envie de se fondre. Il se dit alors qu'il n'a rien à prouver — plus diplômé que le patron et tous les autres ensemble — qu'il ne perdra jamais sa dignité et qu'il les aura, un jour, ses équivalences d'études. Il se le répète toute la journée, du matin au soir et parfois toute la nuit quand il fait de l'insomnie ou du temps supplémentaire. Il se le répète encore en faisant une boule avec le sac de Doritos.

Son pied traîne au milieu de l'allée. Il ne connaît pas encore les dimensions de ses bottes fourrées. Indignée, une passagère a dit le mot *enfargé*. Il cherchera dans son dictionnaire de poche mais, comme d'habitude, ne trouvera rien. Il

examine son grand pied encombrant. Il ne le dit pas en français, pas même dans sa langue maternelle, « Sorry »
s'échappe de ses lèvres charnues. Pourquoi vient-il d'aller
repêcher un des seuls mots anglais qu'il connaisse ? « Sont
même pas *capables* de le dire en français ! » ajoute la femme
insultée. Cartable ?... Imperméable ?... Il n'en a pas, cherche
encore à ses pieds... Qu'est-ce qu'elle entend par *son m'aime
pas capable* ? Sont même pas d'érable...

Il fait noir et, dans la vitre, le reflet de ses yeux. Ils
brillent encore, ses yeux, piquent encore « tant ton corps est
loin »... Ils se mouillent en attendant que « toi et les enfants »
soient d'érable.

Il ouvre doucement son portefeuille pour retrouver le
visage de sa femme au sourire figé depuis des mois, son bébé
sur les genoux qui ne doit même plus savoir ce que signifie
papa qui rime avec *Canada*.

Il replace la photographie écornée, on dirait qu'il veut
l'économiser. Sous les yeux d'une passagère intriguée, il
soulève ses fesses qui risquent de faire craquer son jean
ajusté, essaie d'introduire le portefeuille boudiné dans une
de ses poches arrière. Difficile opération. Le portefeuille
entre, vaille que vaille, dans la poche du pantalon.

Les visages tournés vers le sol ou la fenêtre. Il ne veut
plus savoir pourquoi on ne se met pas à chanter, à discuter,
à se taper sur l'épaule et à se prendre la main. Il ne pense plus
à ces choses-là, mais parfois, en regardant au loin, il réentend
des voix, des musiques et des rires. C'est à ce moment que
son pied et sa jambe commencent à sautiller. L'espace d'un
instant, reviennent les murmures du pays lointain et tout le
corps réagit, les membres répondent. Sur le trottoir, un chien
attaché bat de la queue en retrouvant son maître.

Il fredonne pour lui-même, mais il remarque vite ceux qui prêtent l'oreille et il leur sourit comme un *mariachi* sous sa moustache.

Dans le rétroviseur, les yeux fatigués du chauffeur qui grogne :

« C'est là que tu descends ! »

Il voulait qu'on lui indique l'arrêt. C'est peut-être ça qu'il dit, le chauffeur, c'est bien à lui qu'il parle ? Il n'en est pas certain, fronce les sourcils. Les passagers le pressent du regard et le chauffeur répète :

« Toi, descendre là, là... Icitte. *Here !* »

L'immigrant se lève au milieu du véhicule, il avance à la hâte. Il sait qu'il faut se presser, toujours. En descendant, il se tourne vers le chauffeur et le pied lui manque. Il s'agrippe au poteau de métal avec ses gants de laine qui glissent. Enfin sur le trottoir, il entend gronder le moteur de *la autobús*. Il *la* regarde disparaître, avance prudemment en contournant les plaques de glace. Et il va. Derrière lui, dans la neige sale, le portefeuille est tombé.

La bonbonnière

« La vie est un cercle. »

Avec ses doigts fanés, elle dessine la figure géométrique dans l'espace.

« Et moi, je vois bien où je suis rendue, poursuit-elle. Juste ici. »

Elle marque une pause, lève les yeux vers lui et ajoute :

« Presque à la fin du cercle... »

Est-ce qu'on peut raconter à une femme de quatre-vingts ans qu'elle ne se trouve pas à la fin de sa trajectoire ? Doit-on lui donner raison, croire avec elle que la mort reste le seul projet, ou faut-il se mettre en colère, prétendre qu'avec l'énergie dont elle dispose encore, il apparaît indécent de la voir former ce ridicule petit cercle, d'autant plus qu'il pourrait bien s'agir d'un ovale... ?

Il ne sait pas. Ne sait pas comment réagir.

Elle attend de lui une approbation, assise comme une reine dans son large fauteuil de velours. Il se lève. Ses pieds s'enfoncent dans le tapis moelleux du salon. Lorsqu'il s'arrête, debout devant le buffet géant de son enfance, elle croit qu'il admire ses tasses de fantaisie mais il ne les voit pas, cherche, cherche comment dire à cette femme ridée qui semble de plus en plus dépendre de lui...

Il se sent mal à l'aise, comme à l'adolescence. Elle le regardait ainsi, le sourire satisfait, tandis qu'il rougissait, serrant contre lui le soutien-gorge qui portait son odeur à elle, troublante.

Il fait quelques pas vers le mur où des photos de lui, prises à différentes étapes de sa vie, sont alignées méticuleusement. Quel que fût le photographe, il imaginait toujours, derrière l'œil noir où devait apparaître un petit oiseau, le regard insistant de sa mère. De son fauteuil, en ce moment, elle le guette encore, attendant qu'il se tourne vers elle. Il sent ses yeux autoritaires percer douloureusement son dos.

Il serre les poings, ses ongles piquent le creux de ses mains. Il ne se retourne pas, pas encore. Elle n'est pas pressée. Elle examine la tenue de son fils, peut la détailler plus à l'aise que lorsqu'il est face à elle. Ses chaussures vernies, son pantalon en crêpe de laine, il reste tout de même quelque chose de sa bonne éducation, pense-t-elle. Mais cette chemise, il aurait pu la consulter, quel affreux coloris...

Il n'a jamais apprécié les cadres qu'elle avait choisis. Trop de fioritures alors que quelque chose de plus sobre aurait pu mettre en valeur ses multiples visages de jeune garçon. Il faudra qu'il lui offre bientôt une photo récente de lui, un encadrement qu'il choisira lui-même, une photo de lui avec un visage réconfortant, peut-être y sourira-t-il légèrement.

« Moi, dit-elle, je te vois toujours aussi jeune. C'est comme ça, toutes les mères persistent à voir leurs enfants petits. C'est normal. »

Il conçoit difficilement qu'elle ne l'ait pas vu grandir, mûrir, épaissir un peu sous sa barbe qu'elle aurait tant voulu lui faire raser. Il ne comprend pas ce que peut signifier pour elle l'expression « c'est normal ».

« Mais toi, poursuit-elle... Vous, les enfants, nous voyez-vous devenir des vieilles ? »

Elle est en train de généraliser, de parler au nom des mères et des enfants, elle ne parle plus de son cercle à elle. Ne craint-il pas qu'elle s'éloigne ainsi du sujet opportun ? Il demande :

« Vieillir... Avancer vers la mort ? »

Il ne l'entend pas réagir derrière lui. Elle ne parle pas. Il se cherche une contenance, aperçoit la bonbonnière de cristal sur la table gigogne. Il en soulève le couvercle, écoute le son clair et prolongé que cela provoque, pige un bonbon à la menthe.

« Tu pourrais m'en offrir, mon chéri. »

Alors il le faut. C'est le moment, il le sait. Il faut lui faire face en lui portant les bonbons. Il soulève la lourde bonbonnière et la présente à sa mère telle une offrande. Il a l'impression de lui tendre un bonbon empoisonné qu'elle ne regarde même pas en saisissant la papillote couleur cannelle. C'est lui qu'elle examine, avec insistance, et elle attend. C'est le moment, il en est certain. Il avale alors sa salive au goût de menthe et déclare, en la fixant droit dans les yeux :

« Je suis séropositif, maman. »

Mais lorsqu'on arrive au bout de son cercle, on devient dur d'oreille et pour cette raison, peut-être, sa mère ne l'entend pas. Il a cependant l'impression qu'elle s'étouffe avec le bonbon à la cannelle.

« Ils sont très piquants, ces bonbons », dit-elle les yeux mouillés.

Elle agite une main en disant cela et il croit la voir dessiner un petit cercle, tout petit.

Visages

Les doigts embourbés dans la matière. Dégager une forme, quelque chose, tandis que le prof fait craquer le plancher, derrière moi, se plante le nez dans le vide. Il regarde presque au plafond quand je tourne la tête vers lui. J'ai chaud. Autour de moi commencent à apparaître des visages, sculptés. Peu à peu des traits affinés qui leur donnent tous la même expression de dureté. Leurs regards se précisent et j'ai de plus en plus l'impression qu'ils me fixent.

L'habileté des mains des autres. L'envie de fuir. Pourquoi créer un personnage de plus dans cette salle déjà trop pleine ? M'engouffrer dans le repli que je creuse avec mes doigts. Disparaître, pétrie... Me laisser aplatir contre les murs pour qu'on fasse sortir l'air. Qu'on provoque enfin cette respiration qui ne vient pas dans ma pâte blanche de plus en plus froide. Oui, mon corps à moi se glace, j'en suis certaine, tandis que la terre se réchauffe entre mes mains.

Je ne sais pas... J'ai peut-être dû disparaître pour que tu viennes, toi que tout le monde admire à présent, depuis que des pieds ont trépigné sur le plancher et qu'un « Venez voir ! » comme un coup de guillotine, a fait voler les têtes de terre autour de nous. De nombreux visages intrigués, envieux, nous ont encerclés. Ils me demandent d'expliquer. J'attends que tu parles.

NOTICE BIBLIOGRAPHIQUE

Les nouvelles suivantes ont déjà été publiées : « La campagne » dans *Nuit blanche*, n° 53, sept.-oct.-nov. 1993 ; « Casse-gueule » dans *Garonne 92-93,* éditions Théâtre de la Garonne, octobre 1992 (Toulouse) ; « Au coin » dans *XYZ,* n° 32, hiver 1992 ; « Taureau » dans *Possibles,* vol. 16 n° 1, hiver 1991-1992 ; « Visages » dans *XYZ,* n° 28, hiver 1991 ; « Le futon » dans *Arcade,* n° 22, automne 1991 ; « Le navet » dans *Ciné-bulles,* vol. 10 n° 3, avril-mai 1991 ; « Power » dans *Écrans d'arrêt,* collection « Bande dessinée et Littérature », avril 1991.

L'AUTEURE DÉSIRE REMERCIER :

Le Conseil des Arts du Canada pour son soutien dans le cadre du programme Explorations ;

Judith et Henry pour avoir décroché la lune dans le ciel du Balfour ;

Louise pour sa confiance et sa générosité ;

Pierre et Étienne pour la douceur et le respect ;

Roche pour « La p'tite livre de beurre » ;

Et tous les amis qui, à différentes étapes du manuscrit, ont accepté de porter un regard attentif aux textes.

Amaurose

Battement

Mire

Chez le même éditeur :

ACHEVÉ D'IMPRIMER
EN OCTOBRE 1993
À L'IMPRIMERIE D'ÉDITION MARQUIS
MONTMAGNY, CANADA